LIBRO DE ORO DE

Los Refranes

LIBRO DE ORO DE

Los Refranes

ediciones **AÑIL**

EDITADO POR:
© Ediciones Añil, S.L.
C/ Doñana, 25 Nave 6
Pol. Ind. San Valentín o La Fraila
28960 Humanes - Madrid
Teléf: 91 606.92.86
Por la presente edición MCMIC

I.S.B.N.: 84-930772-0-8
D.L.: M-17594-1999

Indice

⚡ Introducción ⚡

"Decir refranes, es decir verdades"

*"De refranes viejos, no hay ninguno
que no sea cierto"*

*"De refranes y cantares tiene el pueblo
mil millares"*

Todos conocemos y todos hemos usado, en más de una ocasión, refranes como parte integrante de conversaciones sobre cualquier tema. Pero ¿qué es un refrán?

El Diccionario Etimológico de la Lengua Castellana, de Joan Corominas nos dice: "Palabra de mediados del siglo XV. Significó primero estribillo (siglo XIII al parecer) de donde proverbio, por el empleo de éstos en el estribillo de muchas canciones. Del occitano antiguo: refranh"

En el nuevo Diccionario Enciclopédico Universal leemos: "Dicho agudo y sentencioso de uso común"

Pero tal vez sea el Diccionario del uso del español, de María Moliner, el que nos da una definición más exacta y actual de la palabra refrán: "Cualquier sentencia popular repetida tradicionalmente de forma invariable, particularmente, las que son en verso o al menos con cierto ritmo, consonante o asonante, que las hace fáciles de retener y les da estabilidad de forma y de sentido figurado"

De todas las definiciones anteriores, podemos deducir que el refrán tiene cuatro características que lo definen cómo tal:

1.   Se trata de una frase, generalmente breve, que expresa, en su planteamiento, un consejo, un pensamiento o un deseo.

2.   Tiene una conclusión didáctica, inferida de la experiencia, común a muchos, sobre el hecho determinado en su planteamiento.

3.   Su transmisión suele ser oral y de carácter anónimo.

4.   La estructura de la frase suele tener cierta rima, lo que unido a su lenguaje gráfico y sencillo, hace que sea de fácil memorización.

La existencia del refrán es tan antigua que hace imposible datar su aparición. Todos los pueblos y lenguas tienen sus propios refranes, muchos de ellos de carácter universal y otros se ciñen a las costumbres y valores propios de cada cultura. Lo que tienen en común todos ellos, es sin duda, que encierran una filosofía popular. Podríamos decir, sin temor a equivocarnos, que son la sabiduría del pueblo.

En cuanto a los refranes españoles se refiere, posiblemente tengan su origen en los dichos y sentencias populares que eran de uso común en las culturas grecolatinas. Posteriormente, otras fuentes han podido ser los poemas y cantares, la moral, usos y costumbres sociales e incluso la simpatía o antipatía entre regiones o países próximos.

De lo que si tenemos constancia es que, ya en el medioevo, existen las primeras recopilaciones de refranes: "El libro de los proverbios" del rabino Sem Tob de Carrión, el "Libro de los Exemplos del Conde Lucanor" del Infante Don Juan Manuel o la colección del Marqués de Santillana: "Refranes que dizen las viejas junto al fuego" considerada como la más antigua.

Todos nuestros autores clásicos han hecho uso de los refranes en sus textos más conocidos, desde el Arcipreste de Hita en su "Libro de buen amor", pasando por Fernando de Rojas en "La Celestina", Mateo Alemán en su "Guzmán de Alfarache", o el mismo Cervantes en el celebérrimo "Quijote". Sin embargo si hay dos momentos áureos para la historia y recopilación de los refranes españoles, estos son el Siglo de Oro y el Siglo XIX.

De entre los muchos paremiólogos del Siglo de Oro: Sebastián Horozco: "Libro de proverbios",1570, Francisco Espinosa: "Refranero", 1527-1547, Blasco de Garay: "Quatro cartas hechas en refranes para enseñar el uso de ellos", 1619, etc, destaca el "Vocabulario de refranes y frases proverbiales de Gonzalo Correas, que representó un auténtico hito sobre lo que se había hecho hasta la fecha y tuvo gran repercusión en obras de siglos posteriores. Escrito alrededor de 1625, no se editó hasta el siglo XVIII, en 1780.

Años después, en 1830, Bartolomé José Gallardo, copió, admirado de su valía, gran parte del "Vocabulario"

Durante el siglo XIX y principios del XX, proliferaron las compilaciones refraneras. José María Sbarbi, gran conocedor de los escritos de Gonzalo Correas, editó una obra ingente, en diez volúmenes, entre 1874 y 78: "Refranero Español recopilado y compuesto"

Rodríguez Marín fue otro fecundísimo autor en cuanto a ediciones de refranes: "Los refranes. Discurso leído en la Academia Sevillana de Letras" el 8 de Diciembre de 1895. "El año de los refranes" en 1896, "Más de 21.000 refranes castellanos no contenidos en la copiosa colección del Maestro Gonzalo Correas", 1926. "12.600 refranes más no contenidos en la colección del Maestro Gonzalo Correas", 1930. "Los 6.666 refranes de mi última rebusca", 1934. "1.700 refranes más no registrados por el Maestro Conzalo Correas" 1941.

En el siglo XIX, otros muchos autores han elegido a los refranes como protagonistas de sus obras: Julio Cejador y Frauca, Emilio Cotarelo, García Moreno, José María Ibarren, Felipe Maldonado, Fernando Zubiri Vidal y tantos otros que hacen de éste un tema de permanente actualidad.

Y ¿a qué puede deberse la pervivencia del refrán, algunos de los cuáles son sentencias antiquísimas? Sin duda a que tratan pensamientos, hechos o deseos fuera del tiempo o con un carácter intemporal, que se han mantenido inalterables a través de los siglos.

Cada día parece más inabarcable la cantidad inmensa de los refranes españoles. Hay de todo y para todo. No hay asunto humano o divino que no tenga su refrán. Por ello, en esta obra que ahora presentamos, hemos tratado de incluir aquellos refranes más significativos, divididos por temas de interés general, y, a su vez, listados por orden alfabético de forma que resulte cómodo para el lector localizar un refrán determinado.

Esperamos con este "Libro de Oro de los Refranes" ofrecer una versión amena y práctica de estas fuentes de enriquecimiento de nuestra cultura popular.

Capítulo 1.
El Hombre
y sus circunstancias

La salud

Desde siempre, el hombre sabe que su bien más preciado es la salud. Desde consejos sanitarios o alimenticios, pasando por hábitos saludables o en clara referencia a los doctores y boticarios ¡que tanto intervienen en nuestra salud! hemos recogido aquí los refranes más significativos.

1. Aceite y romero frío, bálsamo bendito
Clara alusión a los beneficios de estas dos plantas.

2. A cena de vino, desayuno de agua
Después del vino, la resaca del día siguiente impone, quieras que no, el agua.

3. Agua estancada, agua envenenada
Porque puede presentar putrefacciones muy perniciosas.

4. Agua fría y pan caliente, mata la gente
Esta combinación es dañina.

5. Agua que huela, no bebas
Indica que está en mal estado.

6. Agua no emborracha, ni endeuda ni entrampa
El agua clara es una panacea de virtudes.

7. Agua en ayunas, o mucha o ninguna
En ayunas el agua es laxante. Si se quiere tomar con este fin, mucha pero sino es mejor no tomar ninguna.

8. Agua hervida es media vida
Señala que el agua hervida esta libre de microbios y miasmas.

9. Agua corriente no mata a la gente, agua sin correr, puede suceder
Las aguas que corren están limpias mientras que las estancadas son siempre peligrosas.

10. A las diez en la cama estés y si puede ser antes, mejor que después
Encarece las virtud de acostarse pronto. También indica que la noche es para descansar y suele ser procelosa.

11. Al que no fuma ni bebe vino, la boca le sabe a niño
Porque no tiene el mal aliento que da la bebida y el tabaco.

12. Asaz es el mal que no querer sanar
La voluntad y el deseo de ponerse bien, es fundamental para recuperar la salud. Si no se tiene, malamente podrá el enfermo ponerse bien. También se puede decir, con el mismo sentido , al contrario: " Gran parte es de la salud, desearla"

13. Así en el ojo al besugo, como al enfermo en el pulso
En el ojo del pescado se ve su frescura. Así en el pulso se conoce el estado del enfermo.

14. A cualquier dolencia es remedio la paciencia
Tanto física como anímicamente, la paciencia vence a cualquier dificultad.

15. A malas cenas y a malos almuerzos, angóstase las tripas y alárganse los pescuezos
¡Cuando se come mal, a todas horas, el adelgazamiento es seguro!

16. Anda abrigado, come poco y duerme alto si quieres vivir sano
Buenos consejos, que se explican por si solos, que garantizan la buena salud.

17. Abriga bien el pellejo si quieres llegar a viejo
Es importante taparse bien para evitar los catarros.

18. Anda caliente, come poco, bebe asaz y vivirás

Otros buenos consejos de vida sana.

19. A más doctores, más dolores

Generalmente, cuanto más se abusa de los médicos, en visitas contínuas peor o más tarde se mejora.

20 A tu mesa ni a la ajena nunca con la vejiga llena

Aconseja que no se detenga la orina ,por lo muy perjudicial que es ésto para la salud.

21. Bueno es beber, pero no hasta caer

La bebida con prudencia es buena y recomendable. Llevada al exceso no causa más que problemas.

22. Beber y comer, buen pasatiempo es

Ya que se trata de algunas de las cosas más agradables de la vida.

23. Bendito sea el mal que con dormir se quita

Ya que será de borrachera o de cansancio, pero no de enfermedad.

24. Boticario joven, médico viejo

El primero para que esté al tanto de los remedios más actuales. El segundo para aprovecharnos de su experiencia.

25 Buena arma, y buen corazón, y tres higas al dotor

Se dice en plan altivo, cuando se desprecia el peligro de salir herido, despreciando los servicios del médico.

26. *Buena orina y buen color, y tres higas al dotor*
(Se dice también "cien higas")
Son síntoma de buena salud, con lo que no se requiere la asistencia del médico.

27. *Baco, Venus y tabaco, ponen al hombre flaco*
Los placeres del vino, del amor y el fumar, gastan las energías y enflaquecen el cuerpo y, a veces, ¡hasta el ánimo!

28 *Caldo de nabos, ni lo viertas ni lo des a tus hermanos; pónlo debajo del lecho, que allí te hará provecho*
Es opinión común, que es muy bueno para la vista, y encarece que, aun debajo del lecho es eficaz para la vista. (Textual Correas)

29 *Calor de paño, nunca hizo daño*
El ir abrigado, según este refrán, nunca resulta perjudicial,más bien al contrario.

30 *Cenas y penas y Madalenas y soles, matan a los hombres*
Parece que son causa de perdición. Tanto la abundancia de la comida a la hora de cenar, las aflicciones, las mujeres de dudosa reputación y el exceso de sol, abocan al hombre a su destrucción.

31. *Calenturas de mayo, salud para todo el año*
Porque el buen tiempo que se avecina, las cura con rápidez.

32. Calenturas otoñales o muy largas o mortales

Porque el invierno las agrava.

33. Camisa que mucho se lava y cuerpo que mucho se cura, poco dura

El estar contínuamente preocupado por la salud o los remedios, al igual que estar siempre lavando una prenda, produce más males que bienes.

34 Cogombros* y agua fría, cagalera fina

Esta combinación provoca, con toda seguridad, la descomposición.

35. Come niño y crecerás. Bebe viejo y vivirás

Indica cuáles son las mejores cosas para la niñez y le vejez.

36. Comida, cama y capote que sustenten al niño y no le sobren

Las tres cosas que necesita el bebé, pero dárselas en su justa medida.

37. Comamos, bebamos, triunfemos que ésto es lo que del mundo sacaremos

Refrán hedonista que valora , más que nada, los placeres.

*Cogombros= pepinos

38. *Come para vivir y no vivas para comer*

Hay que comer lo suficiente, pero no hacer de ello el fin de la vida.

39. *Come poco y cena temprano para llegar a anciano*

Hay que ser comedido en la comida y no acostarse con la cena en el buche para tener larga y sana vida.

40 *Comer para beber*

Conviene a enfermos y a viejos que coman para que beban, porque en ellos mejor y mayor es la sed y hastío, y a todos conviene no beber con el estómago vacío. (Textual Correas)

41. *Con salud y con dinero hago lo que quiero*

Irónico refrán que nos dice cuáles son las cosas más importantes de la vida.

42. *Cuerpo en cama, sino no duerme, descansa*

Destaca la importancia de descansar.

43. *Criar y desmedrar, todo es a la par*

Pone de manifiesto lo mucho que estropea a la mujer, la crianza de los hijos

44 *Cuando el doliente va a las boticas, una casa pobre y dos ricas*

¡La pobre, la del doliente, las ricas, la del médico y el boticario!

45. *Cuando el niño dentece, la muerte le acomete*

Encarece los peligros que, para la salud de los niños, tiene la etapa de la dentición

46. *Cuando el niño quiere dentecer, querría yerbas pacer*

El desasosiego que produce la dentición, hace que los niños muerdan cualquier cosa.

47. *De grandes cenas, están las sepulturas llenas*

Comer en exceso por la noche, es, notoriamente, perjudicial.

48. *De cuidado el vino es: se sube a la cabeza y se baja a los pies*

Expone, claramente, los efectos del vino.

49. *Deja la cama al rayar el día y vivirás con alegría*

Es bueno madrugar, tanto para el cuerpo como para la mente.

50. *De qué sirven los bienes, si salud no tienes*

Nada vale la riqueza si no hay salud, el bien primero y principal.

51. *Después de comer, duerme la siesta. Después de la cena, pasea.*

Después de comer, duerme la siesta. Después de la cena, pasea.

52. *Dieta y no recetas y tendrás salud completa*

Alimentarse bien y sin excesos, es la mejor medicación.

53. Dios pone la curación y el médico se lleva el doblón

Ironía contra los médicos, seguramente, del que confía más en la providencia divina.

54. Doctores indoctos, nunca hubo pocos

Otro refrán que pone de manifiesto que hay mucho doctor, pero más son los malos que los buenos

55. Dolencia luenga, muerte zaguera

Las enfermedades de larga duración, suelen desembocar en la muerte.

56. Dolencias y pensamientos, van al hombre envejeciendo

Las enfermedades y las preocupaciones, en igual medida, producen el envejecimiento.

57 Dolor de cabeza manjar: dolor de cuerpo, cagar

Como se ve en este refrán, cada tipo de dolor, requiere una solución.

58 Dolor de muela, no lo sana la vigüela*

Por su intensidad, no es dolor que cure con facilidad, ni con música, como se creía antaño que remediaba algunas enfermedades.

*vigüela= vihuela, instrumento musical

21

59. Dolor contado, dolor aliviado

Cuando se pueden comentar las dolencias, tanto físicas como anímicas, con alguien, ésto produce cierto alivio porque es dolor compartido parece menos dolor.

60. Dáme el médico que sana y no el que parla

Es mejor contar con un médico eficaz, aunque no parezca brillante, que no depender de médicos muy habladores a los que "toda la pólvora se les vaya en salvas".

61. Deja entrar a tu suegra en casa, antes que en tu cuerpo la grasa

Tomando a la suegra en casa como el colmo de las desgracias, ¡cuanto más peligrosa debe ser la grasa para nuestro cuerpo!.

62. El buen alimento, hace el buen entendimiento

Cuando uno está bien alimentado, no hay duda de que discurre mucho mejor.

63. El buen bocado hace joven al anciano

La buena alimentación hace recuperar las fuerzas y ¡los ánimos!

64. El buen cirujano, corto en palabras y duro de mano

El cirujano, para llevar a buen fin su intervención, no debe andarse con contemplaciones.

65. El buen comer y el buen dormir, juntos no suelen ir

Indica que, cuando se come en demasía, las digestiones se hacen pesadas y dificultan el descanso.

66. El buen boticario cuatro "ces" ha de tener: ciencia, conciencia, capital y cojera

Ciencia para conocer los remedios, conciencia para actuar siempre a favor del cliente, capital para disponer de todos los elementos necesarios para su trabajo y ¡cojera para no alejarse demasiado de la botica!

67. El corazón alegre, de salud es fuente

Es cierto que cuando el ánimo está feliz, es menos proclive a cualquier enfermedad

68. El cuarto en el que duermas, que sólo a limpio huela

Otro consejo de salubridad, que nos dice que el dormitorio no debe tener olores que perturben el descanso.

69. El hijo del doctor Galeno: ¡al que no estaba malo, lo ponía bueno!

Refrán burlesco que hace referencia a la inutilidad de algunas personas.

70. El hombre bien comido y bien bebido, quiere descanso, no quiere ruido

Después de comidas copiosas, abundantemente regadas, apetece descansar.

71. *El niño engorda para vivir, el viejo para morir*

Tan necesario como es para el niño nutrirse, para crecer y desarrollarse, es perjudicial para el anciano abusar de la comida.

72. *El solo mudar de aires, cura las enfermedades*

En muchas ocasiones, el cambiar de aires es muy beneficioso para determinado tipo de males.

73. *Enfermedades graves, no se curan con paños calientes ni con jarabes*

Indica que para las enfermedades importantes, hacen falta remedios importantes.

74. *Enfermedad que no estorba para dormir ni comer, poco médico ha de menester*

Porque se trata de una enfermad poco grave.

75. *Enfermera con sueño, ¡ay del enfermo!*

Precisamente, la enfermera tiene que estar atenta, de día y de noche, al enfermo. Si se duerme ¡mal asunto!

76. *Enfermo que hace por comer, a la vida tiene fe*

Mientras existen las ganas y el deseo de comer, hay muchas posibilidades de salvarse.

77. *Enfermos indigentes, no tienen parientes*

Cuando uno no tiene nada y encima le falta la salud, nadie quiere saber de él.

78. Entre reventar o peer ¿qué duda puede haber?

¡Cuando no queda más remedio, hay que hacer lo que sea!

79. El parir embellece y el criar envejece

Con el embarazo, la mujer se redondea de formas, la cara se pone más llenita, y en general, se está más guapa, pero el criar enveje-ce y estropea.

80 Esperar y no alcanzar,

ni venir;
estar en la cama, no reposar,
ni dormir;
servir y no medrar,ni subir,
son tres males para morir
Porque consumen el ánimo.

81. Fácil es recetar, pero difícil curar

Es fácil mandar un remedio, pero que éste sea eficaz, ya es otro cantar. También puede tomarse en el sentido de que una cosa es hablar y otra actuar.

82. Feliz es la muerte que antes que la llamen, viene

Porque no da lugar a agonías largas que llevan a la desesperación.

83. Joven es quien está sano aunque tenga ochenta años y viejo, el doliente, aunque tenga veinte

Independientemente de la edad, ¡la salud es lo que cuenta!

84. Juventud que vela y vejez que mucho duerme, signos son de muerte

Porque en la juventud se duerme bien y, por el contrario los viejos duermen poco. Cuando sucede al revés, es porque las cosas no andan como debieran

85. Juventud salud. Larga edad, continua enfermedad

86. Juventud sin salud, más amarga que la senectud

Da igual ser joven sino no tenemos los beneficios de la salud. Es más duro ser joven enfermo, que estarlo en la vejez.

87. Juventud y sanidad ¿qué mayor felicidad?

Porque se puede gozar plenamente de la vida.

88. La definición de la cirugía: sacar de tu bolsa y echar en la mía

Refrán burlesco que ironiza, tanto en el sentido médico, como en el sentido práctico de la vida, sobre lo ¡que es una buena operación!

89. La mala llaga sana y la mala fama mata

Los males del cuerpo, aunque sean graves, pueden sanar, pero cuando se trata de otro tipo de males, en este caso la fama o la honra, pueden llegar a ser mortales.

90. La gota es mal de ricos. Libre de ella están los chicos (los pobres)

Esta enfermedad se produce por los excesos de la comida y de la bebida, excesos que no pueden permitirse los más necesitados.

91. La mala vida arrugas cría y la buena,va y se las quita

La mala vida, tanto referida a las preocupaciones como a los excesos, produce envejecimiento a cualquier edad. Una vida ordenada y feliz, se refleja en un buen semblante.

92. La mesa mata más gente que la guerra

Los abusos a la hora de comer provocan enfermad segura.

93. La mesa pobre es madre de salud rica

Los alimentos sencillos, alejados de las comidas muy complicadas, son beneficiosos para la salud.

94. La mucha alegría y la mucha tristeza, muerte acarrean

Los dos extremos pueden causar trastornos al corazón, tanto física como anímicamente

95. La muerte es una, pero sus maneras de matar son muchas

Cualquier cosa que cause muerte es igual de terrible.

96. La muerte es una traidora: no avisa día ni hora

Nos advierte que nos puede llegar en el momento más inesperado.

97. La muerte y el juego, no respetan estamentos

No importa la clase social, igual muere el rey que el pobre, y en cuestiones de juego, igual puede perder o ganar el pobre que el rico.

98. *Leche desnatada, alimenta poco o nada*

Clara referencia a las cualidades, o mejor, a las no cualidades, de cierto tipo de leche

99. *Leche, vino y huevos frescos, hacen mozos a los viejos*

Pone de manifiesto lo nutritivo de estos alimentos.

100. *Leche después del vino, veneno fino*

Indica lo perjudicial que resulta tomar nada, después de ingerir leche.

101. *Lo que el médico no puede curar, lo cura la muerte*

¡Cuando no hay solución, no hay solución!.

102. *Los pesares envenenan la sangre*

Es bien cierto que las tristezas y preocupaciones, pueden ser origen de enfermedad.

103. *Llaga incurable, llaga miserable*

Hay dolores, físicos o dolores que atañen al alma, que si no se puede curar, lastran nuestra vida.

104. *Llagas y cuentas viejas, malas llagas y malas cuentas*

¡Porque todas tienen difícil solución!.

105. *Llenar el vientre, pero no tanto que reviente*

Una vez más, nos aconseja la moderación en las comidas.

106.Llueva o nieve, cuando tengas hambre, come y cuando tengas sed, bebe

¡No hay nada mejor que atender a las necesidades cuando éstas se sienten!.

107.Mal de locura, sólo la muerte lo cura

Advierte lo difícil que es atajar las enfermedades mentales.

108.Mal de rico, poco daño y mucho trapico

Los ricos, aunque padezcan de poco, suelen ser muy quejicas.

109.Más matan las recetas que las escopetas

A veces, es peor "el remedio que la enfermedad" o puede ser tan dañiño como un tiro.

110.Medicina que todo lo cura, es locura

En este mundo, no existe la panacea que todo lo resuelva.

111.Médico ignorante y negligente, mata al sano y al doliente

Es algo más que evidente. Si a su poca ciencia, se añade el descuido y la pereza, imposible será que enderece a un solo paciente.

112. Médico viejo y mozo barbero

Para sacar provecho del primero, en su experiencia. En el segundo, mejor que sea joven, para que no le tiemble el pulso ¡y evitar así cortaduras!

113.Médico bien pagado, no quiere ver a su enfermo enterrado

¡Por la cuenta que le trae!

114.Médico ebrio ¡vade retro!

Si el médico no está en condiciones, ¡mucho cuidado en encomendarse a él!

115.Médico sin ciencia, médico sin conciencia

Porque, sepa Dios, lo que puede ser capaz de hacer.

116.Médico nuevo, en dos años echaría solería al cementerio

Su inexperiencia podría dar al traste con muchas vidas.

117.Miembro doliente, reposo quiere

Cuando nos duele algo, lo que queremos es tranquilidad.

118 Muerte lo iguala todo, lo ataja todo, lo barre todo

Porque tras ella, nada queda , y da igual haber sido rico o pobre, sano o enfermo, ya que a todos mide por el mismo rasero.

119.Muerte a unos da da buena, a otros mala suerte

Buena suerte a los que heredan, mala, a los que además de no heredar, quedan desamparados de sus seres queridos.

120 Muerte ni buscalla ni temella

No hay que ser temerarios arriesgándose sin necesidad o poniéndose en peligro de muerte, pero tampoco hay que temerla en demasía, porque es algo que, tarde o temprano, a todos ha de llegarnos.

121 *Muerto a la mortaja y el vivo a la hogaza*

Hay que hacer por la vida, y aunque parece éste un refrán un tanto duro, no hay más remedio que seguir viviendo cuando alguien querido se nos va.

122. *Ni en la mocedad virtud, ni en la vejez salud*

Dos características esenciales de estas etapas de la vida. En la juventud se hacen muchas travesuras y en la vejez, lo lógico es que la salud esté de capa caída.

123. *No es buen médico el que deshaucia al enfermo*

Porque se supone que el médico debe luchar hasta agotar todas las posibilidades de curación.

124. *No hay mal que cien años dure, ni bien que a ellos ature**

Se suele decir para dar conformidad al enfermo, en la esperanza de que pronto sanará. Aquí, nos señala que, tampoco hay bien que dure tanto, aunque el vulgo, completa la primera sentencia con: "ni cuerpo que lo resista"

125. *No hay cosa más sana, que comer en ayunas una manzana*

Pone de manifiesto cuán beneficiosa es esta fruta para la salud.

*ature= llegue

126.*Mejor curó la herida que no se dió, que la dada que bien curó*

Es evidente, tanto en sentido directo, como figurado, que por muy bien curada que esté una herida, siempre pueden quedar secuelas.

127. *No llames virtud a lo que te hace perder la salud*

Sea lo que sea, si nos pone enfermos no puede ser bueno.

128. *Nunca engaña el bostezo: o es de hambre o es de sueño*

129 *Para el mal de costado es bueno el abrojo*

Curioso refrán que tiene dos significados: con el castigo se hace enmienda de lo que se ha hecho mal. Y en el segundo, los disciplinantes, que se flagelaban con abrojo, se suponía que al ocasionarse una pérdida de sangre, se liberaban de este mal.

130. *Para poca salud, más vale morirse*

Para tener poco de todo, a veces, es mejor no tener nada.

131. *Remedio por fuera, no daña*

Es poco peligroso aquello que se nos queda en la piel. Siempre entraña más riesgo lo que se ingiere.

132. *Resfriado cocido, dálo por ido*

Recoge la creencia popular que centraba la curación de los catarros en sudar mucho.

133 *Salud no es conocida sino cuando es perdida*

Y es algo que todos conocemos de sobra. Cuando enfermamos, entonces es cuando nos damos cuenta de todo el valor de la salud.

134. *Salud y alegría, belleza cría; atavío y afeite, cuesta dinero y miente*

Si uno es feliz y encima goza de buena salud, lo refleja en el semblante, "cría belleza" También es cierto que el atavío y el afeite suelen salir más caros, ¡pero, a veces, no hay más remedio que recurrir a ellos!

135. *Salud, dinero y buen vino e irme a la gloria de corrido*

Disfrutando de las cosas buenas de la vida ¿qué más se puede pedir?

136. *Si salud tienes, hartos bienes*

Con salud, se tienen todas las riquezas.

137. *Si quieres vivir sano, no te importe un bledo todo lo humano*

La vida sin preocupaciones, goza de mejor salud.

138. *Unos cascos de naranja agria en ayunas, la bilis arregla y al estómago ayudan*

139. *Vicio carnal, puebla hospital*

Referencia clara a las muchas enfermedades que se pueden contraer con los pecados de la carne..

140. Vino, tabaco y mujer, echan el hombre a perder

141. Zumo de limón, zumo de bendición

El dinero

Si la salud es lo más importante de la vida, ¡el dinero no le va a la zaga! La influencia de los bienes y del dinero ha sido poderosísima en las sociedades de todas las épocas, poniendo de manifiesto lo peor del hombre: la ambición o la avaricia, pero también lo mejor: el ingenio y la generosidad. Aunque la creencia general es la de ¨con oro nada hay que falle¨otro refrán vuelve a poner las cosas en razón: "el oro hace poderosos, pero no hace dichosos.

Y de todo ésto nos hablan los refranes de este capítulo

142. A dineros dados, brazos quebrados
Cuando se paga algo por adelantado, es difícil que te lo hagan.

143. A balas de plata y bombas de oro, rindió la plaza el moro

Alusión al gran poder del dinero para vencer todo tipo de voluntades.

144. A can que come cenizas, no le fíes la harina

La extrema necesidad hace, a veces, cometer malas acciones

145. Acuéstate sin cenar y amanecerás sin deuda

Aconseja que cada uno se modere según sus posibilidades y con lo suyo le bastará.

146. Al día diado

Entiéndase cobrar, pagar, haber de llegar el día señalado puntualmente, y es queja de los que deben cuando les piden el día del plazo sin dilación. (Textual de Gonzalo Correas)

147. A caballo regalado, no le mires el dentado

No deben ponerse peros a las cosas que nos dan y que nada nos cuestan.

148. A casa del amigo rico, irás siendo requerido.
A casa del necesitado, irás sin ser llamado

Destaca la importancia de atender, con diligencia, a los amigos que precisan nuestra ayuda.

149. A más oro, menos reposo

De cómo la posesión de bienes suele producir muchos desvelos y quebraderos de cabeza.

150. *A falta de faisán, buenos son rábanos con pan*

Refrán irónico que ayuda a conformarse con lo que se tiene, sino se pueden alcanzar cosas mejores.

151. *Administrador que administra y enfermo que enjuaga, algo traga*

Es difícil manejar intereses ajenos con toda lealtad.

152. *A nadie has de decir cuánto tienes, dónde lo tienes ni a dónde piensas ir*

Usar de la discreción en estos aspectos tan importantes de la vida.

153. *A nadie le parece poco lo que da, ni mucho lo que tiene*

Todos creemos ser suficientemente generosos con los demás, y, sin embargo, lo que poseemos nunca nos parece suficiente.

154. *A nadie le amarga un dulce*

Denota que cualquier ventaja o logro que nos ofrezca la vida, disgusta o molesta. Suele completarse con "aunque se tenga otro en la boca", en el sentido de cuanto más mejor.

155. *A poco pan, tomar primero*

Cuando hay escasez, hay de andar listo en ser el primero, para no carecer de lo necesario.

156. *A buen adquiridor, buen expendedor*

Suele indicar que las riquezas que se consiguen con facilidad, con facilidad se van, o también que fortunas hechas con gran esfuerzo, corresponden a herederos dilapidadores

157. Al heredar, con un ojo reír y con otro llorar

Indica la tristeza por la pérdida de un ser querido, pero también la alegría por la herencia.

158 Algo es algo", dijo un calvo. Y se encontró un peine sin púas

Gracioso refrán, que señala a los que son de buen conformar.

159. Algo se da por algo

Señala que, generalmente, el que da, espera alguna compensación.

160. Afanar, afanar para nunca medrar

Significa que, no siempre, el trabajo obtiene la recompensa que merece.

161 Agora que tengo ovejas y borregos, todos me dicen en buena hora estés

Refleja, con ironía, como todos "bailan el agua" al que tiene haberes.

162. Al amigo y al pariente, un real más de lo corriente

Se debe ser más generoso con las personas más queridas.

163 A la codicia no hay cosa que la hincha

Y verdad es, que nunca está satisfecha ni llena, y siempre desea más y más.

164. A fuerza de fortuna, no vale ciencia ni arte alguna

Teniendo mucho, en dinero o en bienes, mucho se puede conseguir, sin recurrir ni a ciencia, ni a arte, ni a sabiduría, pues sabido es que el dinero todo lo puede.

165. A las obras, con las sobras

Recomienda que a las cosas secundarias o superfluas, sólo debe dedicarse lo que sobre

166. Al buen pagador, no le duelen prendas

El que está dispuesto a responder de sus deudas, no le importa ofrecer garantías

167. Alcanza quien no cansa

El que es muy pedigüeño, acaba importunando y no consigue nada. Si bien este refrán tiene su opuesto:

168. Quien cansa, alcanza

169. A la par es negar, que tarde dar

Cuando se llega tarde a socorrer una necesidad urgente, es como si se hubiera denegado la ayuda desde un principio.

170. Al mal pagador, plazo corto

No conviene dar demasiado tiempo para abonar una deuda al que se sabe puede olvidarse, fácilmente de ella.

171. A quien mucho tiene, más le viene

Al igual que en otras cosas de la vida, la fortuna suele acudir al que ya posee bastante

172. *Alquimia probada, tener renta y no gastar nada*

Viene a decir que la mejor manera de tener dinero, es no gastárselo. Existe otro refrán muy similar, pero de contenido justo al contrario:

173. *Alquimia probada, vivir sin lujo y no tener nada*

Lo cual resulta, verdaderamente, ¡cosa de magia!

174. *Al miserable y al pobre, todo les cuesta el doble*

Por avaricia, o por necesidad, compran lo más económico, que suele ser de peor calidad, por lo que pronto se rompe y hay que reponerlo, gastándose mucho más.

175. *A lo dado, no le mires el pelo*

A lo que nos regalan, no hay que ser demasiado exigente con ello y aceptarlo de buen grado.

176. *A poco dinero, poca salud*

El pobre, ni puede atender a sus necesidades como es de menester ni puede gastar en médicos, con lo que su salud se resiente.

177. *A quien no lleva capa por Navidad, no hay que preguntarle como está*

Si cuando más frío hace, no se puede uno abrigar ¡pobreza manifiesta!

178. El avaro carece tanto de lo que tiene como de lo que no tiene

Cuando por avaricia no se disfruta de las cosas, da igual poseerlas o no.

179. A quien tiene cama y duerme en el suelo, no hay que tenerle duelo

No hay que sentir lástima de los que viven en malas condiciones, generalmente por avaricia, y no por falta de medios.

180 Amor con amor se paga; y lo demás, con dinero

El poder del dinero es tal, que todo ¡o casi todo! puede pagarse con él.

181. Aixa* no tiene qué comer y convida a huéspedes

Ridiculiza a los que, por vanidad, sin tener ellos, invitan a los demás.

182. A quien vive pobre por morir rico, hay que tenerlo por borrico

Reprende la avaricia en vida, teniendo en en cuenta que nadie se lleva sus riquezas al otro mundo.

183 A quien paga por adelantado, mal le sirve su criado

Porque una vez que se tiene el dinero en mano, se olvida, fácilmente, el trabajo que tiene que hacerse en razón de él.

*Aixa, nombre árabe de mujer (Del marqués de Santillana)

184 A quien Dios más ha dado, a más es obligado

El que más bienes ha recibido, tanto materiales, como espírítuales o intelectuales, también es el que más ha de dar a los demás, a tenor de lo que posee, ¡aunque no suceda siempre así!

185. Al que de ajeno se viste, en la calle lo desnudan

Quien se atribuye prendas, cualidades o dineros que no son suyos, puede verse desposeído de ellos cuando menos se lo espere.

186 Al hombre pobre, no le salen ladrones

¡Como nada tiene, nada le pueden quitar!

187 Ahorrar y más ahorrar , que contigo vive quien lo ha de derrochar

Es bastante común que, padres o parientes ahorrativos, tengan herederos que se lo gasten con la mayor de las alegrías y total despreocupación.

188 Alegría y pobreza, y no pesares y riquezas

Este refrán nos indica que es mejor vivir con alegría, aunque no se tenga mucho, que disfrutar de bienes abundantes y estar rodeados de penas. Si bien es cierto que el dinero no da la felicidad, ¡a veces, ayuda a conseguirla!

189 Armas y dineros son vanos, si no están en buenas manos

Tanto las unas como las otras, si no están en las manos adecuadas que sepan manejarlos, de nada valen.

190. A una boca, una sopa
Encarece la justicia distributiva de dar a cada uno lo suyo.

191. Basta lo que es suficiente
Previene contra el deseo desmesurado de acumular.

192. Bien te quiero, bien te quiero pero no te doy dinero
Critica a los que dan muchos halagos, pero a la hora de la verdad, de ayudar ¡nada!

193. Boca dulce y bolsa abierta, abren todas las puertas
El dinero y la adulación son infalibles para ganar en cualquier circunstancia.

194. Benditos mis bienes que remedian mis males
En momentos de apuro, el que tiene bienes puede venderlos y salir a flote.

195. Bocado comido, no gana amigo
Cuando uno no reparte lo suyo con los demás, es difícil conseguir su amistad.

196. Cada cosa tiene su precio
En este mundo, todo parece que se puede comprar y vender, con lo que el dinero demuestra su fuerza.

197. Cada día pon un grano y harás montón
Advierte de la importancia del ahorro, aunque sea de poco en poco, para llegar a poseer algo.

198. *Can pequeño levanta la liebre y el grande la prende*
Demuestra que del esfuerzo de los humildes, suelen sacar provecho los poderosos.

199. *Compra fiado y vende al contado, y sin caudal, serás un potentado*
Este refrán nos indica que, el saber comprar es tan importante cómo el saber vender para enriquecerse.

200. *Caridad con trompeta, no peta*
Es una crítica a los que hacen ostentación de su generosidad, aconsejando que la caridad debe ser discreta y anónima.

201. *Cuando el dinero habla, todos callan*
La influencia del dinero en todos los ámbitos de la vida, ¡habla por sí sola!

202. *Cuando el amigo pide, no hay mañana*
Encarece la prontitud en socorrer a los amigos.

203. *Cuando no hay jamón o lomo, de todo como*
Conviene resignarse con lo que uno tiene a falta de cosas mejores.

204 *¡Cuando querrá Dios que se compre con un real lo que con dos!*
¡Deseo comprensible y generalizado, pero, a todas vistas, dificilísimo de alcanzar!

205. *Compra a desesperados y vende a desposados*

Es una buena forma de enriquecerse, quizás un tanto cruel, pero efectiva. El que necesita dinero con urgencia, por fuerza tiene que malvender o coger lo que le dan. Sin embargo, los que se van a casar o los recién casados, no les duelen los dineros para empezar su nueva vida.

206 *Comprar y vender, buen camino para enriquecer*

Porque, con esta sencilla transacción, se pueden ganar sin demasiados riesgos.

207. *Compra a quien lo heredó y nunca al que lo sudó*

Es la mejor forma de comprar barato. Viene a reflejar lo que nos dice otro refrán, también muy conocido: "como poco me cuesta, poco me duele"

208 *Comprar al pobre y vender al rico*

Abunda en la idea, ya comentada, de que el pobre ha de vender barato y el rico puede comprar caro, con lo que el negocio está asegurado.

209. *Cuando te dieren el anillo, al dedillo*

Aconseja no desperdiciar lo que nos viene como regalo, aunque pueda parecernos poca cosa. También tiene el sentido de aprovechar las ocasiones, cuando éstas se presentan.

210. *Cual el año, tal el jarro*

Según el año haya traído buena o mala cosecha, o según sea la economía de la casa, el vino se sirve en jarro grande o en jarro chico.

211 Da los ricos lo suyo y a los pobres lo tuyo
A cada uno lo que le corresponde, y conmina a ejerce la caridad con el dinero propio.

212. Dádiva ruineja, a su dueño asemeja
Cada uno da según es.

213. Dáme pan y díme tonto
Con ironía, se refiere a los que quieren conseguir algo y no les importa lo que les llamen o lo que les digan.

214. De dineros y bondad, la mitad de la mitad
Está muy generalizado el presumir, en estos dos conceptos, de más de lo que se tiene. Por eso el refrán aconseja creerse, sólo, la mitad.

215. De hacienda un doblón y mil de presunción
Podría ser un buen complemento del refrán anterior.

216. De enero a enero, el dinero es del banquero
Indica que el dinero es, en todo tiempo, del que lo maneja.

217. Del mal deudor, recibe cualquier cosa.
Con objeto de no perderlo todo, hay que aprovechar cualquier tipo o forma de pago de los que sabemos son malos pagadores.

218. De lo poco, poco y de lo mucho nada
En ocasiones, el que poco puede, da en la medida de sus posibilidades, mientras que el rico no da nada. También tiene el sentido de que, cuando uno es pobre, algo da, pero al enriquecerse, por avaricia, cuando más puede, menos da.

219. *Del deber al pagar, hay mucho que andar*

Es más fácil endeudarse que satisfacer la deuda, por lo que el que ha prestado tiene que recurrir a muchas argucias para poder cobrar.

220. *De lo que nos convenga, venga y más venga*

Ironiza sobre el deseo de acumular, aunque ya se posea bastante, y no averiguar de dónde procede la ganancia.

221 *De ambos ha sido el acertar: tu pedir , y yo al no dar*

Refrán burlesco, de sentido muy similar a: "contra el vicio de pedir, está la virtud de no dar"

222 *De lo ajeno, gasta sin duelo; y de lo tuyo, con mucho tiento*

¡Es lo lógico!

223 *De lo bueno, llena el saco; y de lo malo, también lleno el saco*

Si nada cuesta, lo mejor es aprovechar la ocasión, de lo bueno y de lo malo.

224 *De lo que ganes, nunca te ufanes; y de lo que pierdes, ni lo recuerdes*

¡Es una buena actitud ante la vida! No conviene estar presumiendo de lo que se obtiene, pero en el caso de pérdidas, mejor olvidarse de ellas para no andar amargado.

225 *De los pobres suelen salir los obispos, y muchos pordioseros de los ricos*

El pobre se afana por salir de la pobreza, por los medios que sea. Los ricos, si no saben cuidar su hacienda y suele acontecer con frecuencia, acaban mendigando.

226 *Desnuditos nacimos, y todo nos parece poco para vestirnos*

Nacemos sin nada, pero, a lo largo de la vida, de todo ambicionamos y todo nos parece poco para nosotros.

227. *Deuda vieja no comerás de ella*

Porque es difícil recuperarla.

228. *Dinero, amor y cuidado, no pueden estar disimulados*

Porque son tres cosas, que, tarde o temprano, se hacen de notar.

229. *Dinero en mano, todo es llano*

Nos viene a decir, como tantas otras veces, que el poder del dinero hace fácil la vida entera.

230 *Dineros e hijos, mientras más pocos, menos peligros*

El tener mucha fortuna, al igual que muchos hijos, causa desvelos sin cuento, para no perderlos, para conservarlos, para que nadie se los quite...

231 Dios me favorezca con mal género y buena venta

¡Buena forma de ganar! Es de suponer, que el mal género habrá costado barato ¡y si, encima, se vende bien, qué mejor negocio!

232 Dios y tu dinero, son tus amigos verdaderos

¡Si además de estar a bien con Dios, se está a bien con el dinero , es segura la felicidad, y son los amigos más firmes que se pueden encontrar en esta vida.

233. Donde hay saca y nunca pon, pronto se acaba el bolsón

Cuando se gasta sin reponer, por grande que sea la fortuna, se acaba por agotarla.

234. Donde perdíste la capa, ahí la cata*

Aconseja, ante pérdidas económicas, no desanimarse y seguir buscando la fortuna ahí donde se perdió.

235. Dos andares tiene el dinero: viene despacio y se va ligero

Ganarlo cuesta mucho, pero gastarlo es facilísimo y rapidísimo.

236. Ducados hacen ducados

La riqueza proporciona honores, y a menudo, suple y se sobrepone al linaje.

237. Donde no hay harina, todo es mohína

Cuando falta hasta lo más necesario, todo son problemas y enfados.

* cata de catar= buscar

238 *El avaro, de su oro no es dueño, sino esclavo*

El avaricioso vive pendiente de su dinero de tal forma, que más que un gozo, representa para él una tortura ante el horror de perderlo o de no aumentarlo tanto como quisiera.

239. *El dinero del juego, muchos lo tienen, pero pocos lo retienen*

Porque igual que viene, se va, y el jugador, por naturaleza, se arriesga siempre, intentando conseguir un poco más, lo que inevitablemente, concluye en pérdida.

240 *El dinero huele a benjuí y estoraque, aunque de una letrina se saque*

El benjuí y el estoraque, son dos esencias naturales, de aroma delicado y exquisito. Nos indica que el dinero, provenga de donde provenga, siempre huele a gloria bendita.

241 *El dinero nunca sea tu señor, sino tu siervo*

Hay que servirse del dinero para disfrutar de la vida y para todo aquello que precisemos, pero no hay que vivir, sólo, en función de él.

242 *El dinero y la fama, de quien los gana*

Es el único que tiene derecho a disfrutarlos, aunque, muchas veces, no suceda sí.

243. *El dinero hace al hombre entero*

La riqueza permite ser independiente y libre al no tener que rendir cuentas a nadie, da valor y osadía. Por eso dice que hace al hombre entero.

244. *El dinero en la bolsa, hasta que no se gasta, no se goza*
Contra los avariciosos. Hace ver las satisfacciones que da el dinero cuando se gasta en las cosas que nos agradan.

245. *El dinero y el amor, traen los hombres al derredor*
Porque son los móviles principales de las acciones humanas.

246 *El oro hace gala, que no blondas ni bandas*
Lo que cuenta, de verdad, es el oro, el dinero. Lo demás, sólo es apariencia vana.

247 *El oro hace soberbios, y la soberbia, necios*
Envanecerse de lo que se tiene, es algo frecuente. El que posee dinero suele sentirse superior a los demás, lo que es una necedad, porque es algo que hoy puede tenerse y mañana perderse

248. *El pez grande se come al chico*
Conocida verdad que, una vez más, nos demuestra que el rico avasalla a los pobres y los humildes.

249. *El rico come cuando quiere y el pobre cuando puede*
El rico disfruta de los placeres siempre que lo desea, mientras que el pobre tiene contadas ocasiones para hacerlo.

250. *El mejor amigo: un duro*
Señala que es mejor tener dinero propio y en mano, que depender de los recursos ajenos.

251. El mucho bien hace mal

El exceso de bienes, provoca la desidia y la desgana. No obstante tienen su opuesto en:

252. Nunca por mucho es mal año

253. El hambre es tan maestra, que hasta a los animales adiestra

Todos somos capaces de hacer cualquier cosa, aguzando el ingenio, ante las necesidades imperiosas.

254. El hambre es mala consejera

Explícito refrán que pone de manifiesto que, cuando la necesidad es grande, para salir de ella no se repara en los medios aunque estos sean ilícitos.

255. El gastar, deber y no pagar, es el camino del hospital

Los despilfarros y deudas auguran un mal final.

256. El que en un año quiere ser rico, al medio le ahorcan

Previene contra los ambiciosos que desean enriquecerse rapidamente sin reparar en los medios y que por culpa de esta ambición pueden terminar de mala manera.

257. El cerdo y el avariento, sólo dan un día bueno

El día de su muerte, ¡en el qué se vuelven de provecho para los demás

258. El testamento, en la uña

Recomienda que los legados estén hechos con toda minuciosidad para evitar los litigios entre los herederos. Y abundando en lo anterior

259. Al partir las tierrecillas, vienen las mil rencillas.

260. En el juego, el que gana se queda en camisa; y el que pierde, en cueros

Irónico refrán que nos demuestra que en el juego no hay ganadores.

261 En casa del rumboso, todo es bulla y alborozo; rumboso arruinado, en soledad dejado

Cuando uno es generoso, tiene la casa llena de amigos y de gente que va a festejarle, pensando en lo que sacarán de él. Si el dinero se acaba, "los amigos de interés" huyen como alma que lleva el diablo.

262. Entre el honor y el dinero, lo segundo es lo primero

Aunque el honor sea lo más importante, en la sociedad lo que realmente se valora es el dinero. Sin embargo, existe otro refrán que rebate esta idea:

263. Mejor es hombre sin dineros, que dineros sin hombre.

264. En invierno, el mejor amigo es la capa

Pondera que en los momentos de necesidad, lo mejor son los remedios prácticos.

265. *El dar y el tener, seso han de menester*

Hay que ser prudentes y equilibrados tanto para dar, sin ser pródigos, como para guardar, sin ser avariciosos.

266. *El trabajo y la economía son la mejor lotería*

Como fuentes seguras de bienestar y desconfiando de la suerte o del azar.

267 *Faltriquera abierta, el dinero vuela*

Si la bolsa esta abierta, tanto para uno mismo como para socorrer a los demás, el dinero es visto y no visto.

268 *Fía poco y en muy pocos*

Es la única manera de no salir perdiendo.

269 *Ganado por lo comido nunca serás rico*

Si no existe el ahorro y se gasta tanto como se gana, la bolsa está siempre vacía.

270. *Ganancia inocente, no la verás fácilmente*

Es difícil enriquecerse a base de honradez. Siempre las grandes fortunas llevan aparejados negocios no demasiado limpios.

271. *Gota a gota, hasta la mar se agota*

Por grande que sea un capital, si se va tirando de él, llega un momento en que se acaba.

272. *Guarda qué comer y no guardes qué hacer*

Aconseja el ahorro y la diligencia en el trabajo.

273. *Haz rico a un asno y pasará por sabio*
Las riquezas hacen respetable a un hombre, aunque no lo sea.

274. *La codicia abre la puerta y todos los males entran*
Expresivo refrán que pone de manifiesto la perversidad de la codicia.

275 *La hacienda bien ganada, con afán se guarda*
Lo que cuesta mucho, también se guarda con mucho cuidado.

276. *La necesidad hace a la vieja trotar y al gotoso saltar*
Otro ejemplo de que todos hacemos lo imposible cuando la necesidad aprieta.

277. *La pobreza no es vileza, más deslustra la nobleza.*
Ser pobre no es ninguna verguenza, pero, por salir de ella, se abandona la honradez.

278. *La fortuna es un montecillo de arena: un viento la trae y otro la lleva*
De la facilidad con que los bienes pueden llegar y pueden perderse.

279. *La soga siempre se rompe por lo más delgado*
Los débiles suelen pagar las consecuencias de cualquier adversidad.

280. *La ilusión es la realidad de los que no tienen un real*
La imaginación y la esperanza alivian la situación del pobre, que sueña con un futuro mejor.

281. Lo barato siempre sale caro y lo caro barato

La poca calidad de lo barato, lo hace de poca duración, mientras que las cosas de más precio, con el tiempo, se amortizan con creces.

282. Lo que poco cuesta, en menos se estima

No suele valorarse aquello que es barato o nos cuesta poco. Tanto lo que es caro, o lo que se consigue con esfuerzo, lo tenemos en mayor aprecio. Otro refrán de significado similares:

283 Lo mal adquirido, se va por donde ha venido

284. Como poco me cuesta, poco me duele

285 Mal su bolsa defiende, quien a fiado vende

286. Negocio que no deja, se deja

Porque es tontería obstinarse en algo que no produce rentabilidad alguna.

287. Mal o bien, tu dinero ten

Sea como sea, o venga de donde vea, lo mejor es tener dinero.

288. Mano cerrada, no da nada y debería de ser cortada

Duro refrán contra los de corazón poco o nada generoso.

289. Más vale poco y bien allegado que mucho robado

Enaltece la honradez.

290. *Más vale ser rico labrador que marqués pobretón*
De nada valen los títulos sino hay dinero que los sustente.

291. *Más vale pájaro en mano que ciento volando*
No hay que desperdiciar lo seguro, aunque sea poco, arriesgándose a perderlo todo por un futuro incierto que parezca más prometedor.

292. *No es rico el que más ha, sino el que menos codicia*
La ambición desmedida no da la felicidad. Es más dichoso el que sabe conformarse con lo que tiene.

293. *Ni te abatas por pobreza ni te ensalces por riqueza*
Bajo ningun estado, debe el hombre dejar de ser humilde y decoroso.

294. *No hay rico necio ni pobre discreto*
Una vez más pondera la importancia que la sociedad da al dinero

295. *No quiero, no quiero, pero échamelo en el capelo**
Reprende la hipocresía de los que simulan no querer algo cuando están deseando hacerse con ello.

296 *Ofrecer y no dar, es deber y no pagar*
No debe prometerse aquello que no se va a cumplir. Es como empeñar la palabra para, luego, no dar cuenta de ello.

297. *Quien da a los pobres, presta a Dios*
La caridad es siempre recompensada
*capelo= sombrero

298. Quien guarda halla

Tal vez sea uno de los refranes más conocidos, que señalan la importancia del ahorro para atender las necesidades que se presenten

299. Quien de la olla de su vecino quiera probar, la suya no ha de tapar

Si queremos disfrutar de la generosidad de los demás, debemos estar dispuestos a ofrecer la nuestra.

300. Quien boca tiene, del todo pobre no se considere

¡Porque siempre queda la posibilidad de pedir!

301 Rendir cuentas, lo hace todo el que lo intenta; pero rendir cuentas con pago , ahí está el mal trago

302 Rico verás al lisonjero y pobre al hombre sincero

Con buenas palabras y adulaciones se ganan muchas voluntades y muchos dones, ¡cosa que rara vez sucede cuando se va con la verdad por delante!

303 Riqueza aparente y sabiduría fingida , pronto se sabe que son mentira

304 Sacar dinero a un avariento, es como dar con el puño en el cielo

Ya que es algo casi imposible de lograr.

305 Ser rico y salvarse, caso notable

Primero, porque el enriquecimiento siempre se suele hacer con "malas artes". Y segundo, porque el rico puede permitirse caer en muchas tentaciones a las que no tiene acceso el pobre.

306. Si no tienes dinero en la bolsa, ten miel en la boca

Aconseja al pobre ser amable y halagador para conseguir la ayuda que necesita.

307. Tan pobre muere el Papa, como el que no tiene capa

Ironiza sobre la codicia y la acumulación de bienes, recordándonos que la muerte alcanza a todos por igual.

308 Tu boca a todos, tu bolsa a muy pocos

Aconseja que dar conversación o buenas palabras puede hacerse con cualquiera, pero otra cosa muy diferente es poner los dineros a disposición de todos.

309. Un buen "no" salva la bolsa y tranquiliza el corazón

En algunas ocasiones, hay que saber negarse a determinadas peticiones, tanto para salvar el dinero como para no angustiarse con la posibilidad de perderlo.

El amor

¿Y qué vamos a decir del amor? Es sin duda el sentimiento más universal que existe, en el tiempo y en el espacio.

Un sentimiento, que siempre está presente a lo largo de nuestra vida, con la familia, la amistad o la vida en pareja. Sin embargo, el amor tiene muchas caras, unas dulces y alegres y otras más duras y amargas. Y sobre todas ellas, se cierne la mirada irónica, y a veces, mordaz, de los refranes.

Trátese de la familia, los amigos o de cualquier otro tipo de relación, el refrán pone su punto de verdad sobre todos ellos.

La familia.

310. A casa de tu tía, más no cada día

No importunar, ni siquiera a los familiares, con visitas innecesarias.

311. Al son de mis dientes, acuden mis parientes

A las personas prósperas, nunca les faltan parientes, tanto para pedirles como para ayudarles.

312. *Acuérdate suegra de que fuiste nuera*
Acuérdate nuera de que serás suegra

Recomienda a suegra y nuera que se comporten como a ellas les gustaría ser tratadas en sus papeles respectivos.

313. *Al que Dios no le da hijos, el demonio le da sobrinos*

Indica que cuando no hay preocupaciones propias no faltan otras que vienen de fuera. También tiene el sentido de que los sobrinos, suelen aprovecharse de la debilidad que los tíos sienten por ellos.

314. *Cuñados y rejas de arado, sólo son buenos si están enterrados*

Irónico refrán que valora en poco, o como difíciles las relaciones y el cariño ente los cuñados.

315. *Amistad de yerno, sol de invierno*

Alude a la tibieza, cuando no a la frialdad, que se da en la relación de suegra o suegro con yerno o nuera.

316 *Amor de puta y vino de frasco, a la noche gustosos, y a la mañana dan asco*

317 *Amar es bueno, mejor es ser amado; lo uno es servir, lo otro es tener el mando*

Y así es. Cuando uno es amado, la relación está en sus manos. Cuando uno es el que ama, siempre está al servicio y disposición del que es objeto de su amor.

318. *Amor loco, si ella es mucho y tu eres poco*

Este refrán recoge la idea, un poco obsoleta en la actualidad, de que el pretendiente debe ser más rico o de mejor posición social que la mujer a la que se pretende.

319. *Amorosos juramentos, se los lleva el viento*

Porque una cosa es prometer y otra cumplir, y en esto del amor, juramentos que se olvidan, son más que frecuentes.

320. *Amor de estudiante, amor inconstante*

Por su juventud y sus ganar de vivir, el estudiante está tan dispuesto a enamorarse todos los días de mujeres diferentes.

321. *Amores nuevos, olvidan viejos*

Es bien cierto, que la llegada de un nuevo amor, echa en olvido las penas o los recuerdos de aquellos otros amores que quedaron atrás.

322. *Amor de boca, bicoca; amor de corazón, verdadera pasión*

El amor hay que probarlo con hechos. El que se queda en palabras, de nada vale. Ya hemos visto en refranes anteriores, que las palabras se las lleva el viento.

323. *Amor comprado, dale por vendido*

Porque no es verdadero amor, y si uno lo ha comprado, tal vez, otro con más dinero, también lo puede adquirir, ya que está a merced del mejor postor.

324. *Amor engendra temor*

También se dice en esta segunda acepción: Amarás y temerás Cuando se quiere de verdad, el temor es una constante, en especial, cuando se piensa que se puede perder el objeto de ese amor.

325. *Amor irresoluto, mucha flor y poco fruto*

Cuando no hay una decisión firme, los amores no llegan a un fin concreto, con lo que los frutos suelen ser escasos.

326. *Amar, horas perdidas, sino son correspondidas*

327. *Aquel que ama, el mismo se ata y se mata*

¡Cuando el amor se adueña de uno, lo hace su prisionero! No hace falta otro tipo de condicionantes ajenos para gozar o sufrir, que todo lo proporciona el amor al que ha caído en sus redes.

328. *Amor y buen consejo, no caben en un pellejo*

¡Porque bien se dice que es ciego y no atiende sino a los sentimientos, y nunca a la razón!

329. *Beso y no alargarse más, pocas veces o jamás*

Es difícil parase sólo en el beso cuando se está enamorado, ya que la pasión quiere una expansión mayor. Otros refranes, muy graciosos, con este mismo sentido son:

330. *Boca con boca, pronto se desboca*

331. Besos no rompen huesos, pero atraen camino para otros excesos

332. Corazón cobarde no conquista damas ni ciudades

Hay que ser osado en el amor y atreverse a cortejar a aquellas mujeres que gustan. ¡Y si así es en el amor, que no será a la hora de conquistar ciudades!

334. Cuando el padre da al hijo, ríe el padre y ríe el hijo. Cuando el hijo da al padre, llora el padre y llora el hijo

Los padres hacen cualquier cosa por sus hijos, de buen grado, mientras que en los hijos es más frecuente la ingratitud.

335. Cuando seas padre, comerás huevo

Se usaba para destacar las prerrogativas del cabeza de familia, aunque hoy tiene el sentido de negar lo que pide a quien no se considera con suficiente autoridad o conocimiento.

336. Como hoy a tu suegra ves, verás al tiempo a tu mujer

Con el paso de los años, es muy posible que la hija se parezca en actitud y comportamiento, a su madre. Se usa como advertencia a los futuros esposos para que prevean cómo puede ser puede ser la novia actual.

337. Caudal inagotable, el cariño de una madre

Alaba el único cariño incondicional que existe, el más seguro y el más protector, el que con su sola presencia puede suplir muchas carencias.

338. *Con tu hijo tendrás mil peloteras, pero una sola con tu nuera*

Las discusiones y enfados entre padres e hijos, se superan con facilidad, no así entre suegros y yernos porque la relación es mucho más circunstancial y menos afectiva.

339. *Contra un padre, no hay razón*

Aconseja que nunca se vaya contra un padre, aunque se tenga razón, por no pecar de ingratitud.

340. *Criado por el abuelo, nada bueno*

El cariño de los abuelos, les hace ser demasiado indulgentes con los nietos, y a menudo, los malcrían.

341. *Quién no conoce abuela, no conoce cosa buena*

342. *De los tuyos hablarás y no querrás que te hablen*

Uno puede criticar los defectos de su familia, pero no es plato de gusto oírlo de terceras personas.

343. *De tal palo, tal astilla*

Los hijos suelen imitar los comportamientos de los padres. Casi siempre se utiliza como refrán peyorativo referido a los malos hábitos.

344. *El amor, de asnos hace sabios y de sabios asnos*

345. *El amor es carne para el mancebo y hueso para el viejo*

Para el joven, es alimento que come con gusto, pero para el anciano se convierte en "hueso" duro de roer.

346. *El amor poco, nunca es loco; pero si es mucho, con todo obstáculo da al través*

347. *Los novios son como los mozos, se van unos y llegan otros*

348. *Dichosa sea la rama que al tronco sale*

Cuando los hijos se parecen a los padres o a la familia, indican la claridad de su linaje.

349. *De la familia y del sol, cuánto más lejos mejor*

Por las muchas preocupaciones e incordios que la familia produce en multitud de ocasiones.

350. *Dicen los niños en el portal lo que oyen a sus padres en el hogar*

Hay que ser discretos con lo que se dice en presencia de los niños, porque éstos lo reproducen en el momento más inoportuno.

351. *De tus hijos sólo esperes lo que con tus padres hicieres*

Señala que todo padre recibirá de sus hijos el mismo trato que él haya dado a los suyos.

352. *El padre para castigar y la madre para tapar*

En los papeles tradicionales, el padre, con su autoridad, es el que impone el castigo y la madre, con su gran cariño, tapa las travesuras de los hijos.

353. *El que tiene padrinos se bautiza*

En sentido figurado, el que tiene influencias o apoyos, suele conseguir lo que desea ¡y más si éstos son parientes!

354. *En casa pequeña, gran paz*

Parece que en las familias reducidas, es más fácil ponerse de acuerdo, al no existir tantos pareceres distintos.

355. *Entre parientes y hermanos, no metas las manos*

Advierte del peligro de mediar en rencillas familiares, pues cuando se reconcilian, es el mediador el que queda en evidencia.

356. *En los tiempos que andan, los hijos mandan*

En cualquier hogar, finalmente, los hijos se suelen salir con la suya.

357. *En cada corral un gallo, y en cada casa un sólo amo.*

Si hay más de una cabeza visible, o más de uno a mandar en el hogar, la disputa es segura.

358. *En cada casita, hay su crucecita*

Indica que no hay familia que sea completamente feliz.

359. *En todos los pucheros cuecen habas y en el mío, a calderadas*

Abunda en el sentido del refrán anterior. En todas las casas suceden cosas buenas y malas y en la propia no es una excepción.

360. *Hijos criados, duelos doblados*

Los hijos, de pequeños, necesitan muchos cuidados, pero cuando crecen los disgustos y problemas se van multiplicando.

361. *Hasta que no seas padre, no sabrás ser hijo*

No puede entenderse, en toda su magnitud, el comportamiento y el sacrificio de los padres,hasta que no se llega a esta misma situación.

362. *Hijo de padre pudiente, aunque no sea honrado, es valiente*

Los hijos de padres poderosos, siempre se atreven a más porque tienen las espaldas cubiertas por la protección paterna.

363. *Hijo sin madre, río sin cauce*

Destaca lo importante e influyente que es la presencia de la madre en la educación y en la vida de los hijos.

364. *Hijo sin rienda, madeja sin cuerda*

Cuando no se sujeta a un hijo en su momento, acaba disipándose sin hacer nada bueno.

365. *La mejor suegra, la muerta*

Son incontables los refranes dedicados a las suegras. Todos ellos, ponen de manifiesto, la mala prensa de que gozan, muchas veces injustificada, pero que señalan lo difíciles que suelen ser las relaciones entre suegras y yernos:

366 Cuando pasan a mejor vida los suegros, lo mismo les sucede a nueras y yernos

367. Al pan , pan y al vino, vino y los suegros por su camino

368. Suegra, nuera y yerno, antesala del infierno

369. Madre e hijas, caben en una camisa. Suegra y nuera no caben en una era.

370. La ropa sucia, en casa se lava
Aconseja que los problemas y discusiones de la familia, se dirimen en el hogar, sin hacerlo público y sin darlos a conocer a extraños.

371. La sangra tira
Los lazos de parentesco son difíciles, cuando no imposible de olvidar.

372. Lo que se aprende en la cuna, siempre dura
Las enseñanzas y la educación que se reciben en el entorno familiar, dejan una impronta que se mantiene toda la vida.

373. Lo que valga una mujer, en sus hijos se ha de ver
Los hijos son el reflejo, tanto interno como externo, de los desvelos y cuidados de una madre por ellos.

374. Los nietos son los hijos dos veces paridos
Demuestra el cariño de los abuelos sienten por los nietos, tan grande como el que se pueda sentir por los hijos propios.

375. *Los hijos de mi hija, de mi hija son. Los de mi hijo no sé de quien son*

Duro refrán que indica que no hay duda en la maternidad de la mujer, pero si puede haberla en la paternidad del hombre.

376. *Madre la que pare, y más madre todavía, la que pare y cría*

La maternidad no se hace sólo con el parir, sino en educar y echar hacia adelante a los hijos.

377. *Madre holgazana, hija cortesana*

Advierte del peligro en que una madre ociosa, pone a su hija sin enseñarle a hacer nada útil.

378. *Madre pía*, daño cría*

Cuando la madre es demasiado indulgente, los hijos hacen lo que quieren.

379. *Mala madre me diera Dios y buena madrasta, no*

Otro ejemplo de lo mal consideradas que están las madrastras, aun cuando no siempre corresponda con la realidad.

380. *Mientras tengas hijas en la cuna, no hables mal de ninguna*

Si hay hijas en casa y pensando en casarlas, no conviene sacar a relucir sus defectos.

381. *Parientes pobres y trastos viejos, pocos y lejos*

Lo que molesta o lo que resulta inservible, ¡cuánto más lejos mejor!

*pía= benigna, blanda

382. *Quien bien te quiere, te hará llorar*

El cariño también se demuestra aplicando castigos, cuando éstos se precisan, para enderezar la conducta de los seres queridos.

383. *Quien bien me quiere, ese es mi pariente*

En cantidad de ocasiones, hay relaciones de amistad que son mejores que algunos parentescos de sangre.

384. *Quien no castigó culito, no castiga culazo*

Cuando no se corrige a los niños desde pequeños, dificilmente, puede hacerse cuando sean adultos.

La amistad

385. *Allí donde hay verdadera amistad, dos cuerpos y una sola voluntad*

Los buenos amigos están de acuerdo, evitan las peleas y discusiones, y obran siempre el uno en beneficio del otro.

386. *Antes encontrarás burro con cuernos que amigo perfecto*

Exponen la dificultad de lograr la verdadera amistad.

387. *Amigos y mulas fallecen a las duras*

Cuando la amistad no es verdadera, al llegar las dificultades, se acaba.

388. *Al amigo, con su vicio*

Hay que querer a los amigos tal cual son, con sus defectos y virtudes.

389. *Amigo de muchos, amigo de ninguno*

Cuando se quiere tener muchas amistades, es casi imposible profundizar en ninguna de forma sincera.

390. *Amigo que no presta y cuchillo que no corta, aunque se pierdan poco importa*

Si el amigo no ayuda cuando hace falta, no es tal, y por lo tanto, es tan inútil como el cuchillo que no corta.

391. *Amigo no de mí, sino de lo mío, lléveselo el río*

El interés no puede ser nunca el principio de una amistad real, más bien desbarata esta posibilidad.

392. *Amigo traidorcillo, más hiere que un cuchillo*

Previene sobre cuán peligroso puede ser un amigo desleal.

393. *Amigo y caudal, más fáciles de ganar que de conservar*

Ambas cosas, para mantenerlas, hacen falta muchos desvelos y cuidados.

394. *Amigo viejo y vino añejo*

Porque están consolidados por el tiempo

395. *Amigo cierto, el probado en el hecho*

Los amigos de verdad, son aquellos que no abandonan cuando vienen los momentos malos. Podría completarse con:

396. Algo bueno trae la adversidad consigo: que sabe el hombre si le queda algún amigo.

397. Amistad que se rompe, no era de bronce

Indica que la amistad verdadera es indestructible. Si se deshace no era tal.

398. Amistades que del vino se hacen, después de dormir la mona, se deshacen

Bajo los efluvios de la bebida, pueden hacerse amistades nada convenientes, que cuando se recupera el raciocinio, bien se ve que no son las idóneas.

399. Amistad de boca, larga parola y cerrada bolsa

Los amigos de "boquilla" muchos consejos, pero poca ayuda práctica.

400. Al amigo y al caballo, no hay que apretallos

No conviene abusar de los amigos, ni apretar excesivamente el bocado de los caballos, para que unos y otros, no se desmanden.

401. Bueno es tener amigos, hasta en el infierno

Tener valedores en todas partes y todas las circunstancias, facilita la vida.

402. Con alegre compañía, se sufre la triste vida

Alaba la compañía de los buenos amigos para soportar los trances difíciles.

403. De los amigos, me guarde Dios, que los enemigos me guardo yo

La falsa amistad es muy peligrosa, porque uno no se previene contra ella, como se previene , de antemano, contra los que sabe son sus enemigos.

404. Dios los cría y ellos se juntan

Se utiliza, en sentido irónico, para comentar que se suelen juntar gentes de condiciones parecidas.

405. El que quiere a la col, quiere a las hojas de alrededor

Cuando se quiere a alguien, ese cariño se hace extensivo a las personas y cosas que le son gratas.

406. Las firmes amistades, se hacen en las mocedades

Parece que las amistades de juventud, así como el primer amor, son las más duraderas o las que más se recuerdan a lo largo de la vida.

407. La amistad no tiene edad

La amistad tiene que ver con la afinidad de caracteres y con el congeniar, por lo que la edad es un factor secundario para establecer una amistad verdadera.

408. Dos no riñen si uno no quiere

Aconseja no perder la serenidad para evitar contiendas.

409. Las visitas placer dan, sino cuando vienen, cuando se van

Cuando la visita es fastidiosa, verla partir es un auténtico gusto.

410. Divide y vencerás

Potenciar y animar la división entre los enemigos, es una garantía de que se vencerá sobre ellos.

411. Los amigos son para las ocasiones

Como hemos visto en otros refranes, los buenos amigos acuden cuando se les necesita.

412. Los huéspedes y la pesca, a los tres días apestan

No se debe abusar de la estancia en casa ajena porque cansa y aburre al anfitrión.

413. Más vale estar solo que mal acompañado

Es preferible la soledad a compañías perniciosas.

414. Mientras fío, considero que estoy perdiendo un amigo y cobrando a un enemigo

Advierte lo peligroso de prestar dinero a los amigos, por los problemas que su cobro puede presentar y que pueden dar al traste con la amistad.

415. No hay mejor espejo que el amigo viejo

Alaba la amistad sincera, cimentada en los años, que es capaz de decirnos las verdades y de corregirnos sin acritud.

416. Ni pidas a quien pidió ni sirvas a quien sirvió

Con frecuencia, al ascender de posición social, los hombres se olvidan de su procedencia y suelen ser más duros con respecto a sus inferiores.

417. *No hay mejor cuña que la de la misma madera*

Equivale a decir que no hay peor enemigo que el que nos conoce bien, amigo o familiar, porque sabe todas nuestras flaquezas.

418. *Obras son amores y no buenas razones*

Refrán de sentido obvio que las obras demuestran el cariño y la amistad y no las palabras que se las lleva el viento.

419. *Pelillos a la mar y lo pasado olvidar*

Señala que hay que dejar a un lado las rencillas y buscar la reconciliación de forma amigable.

420. *Quien no buscó amigos en la alegría, en la desgracia no los pida*

Hay que estar con los amigos en los buenos y malos tragos de la vida. El que no lo hace así, es lógico que esté solo cuando más necesita de la amistad.

421. *Quen desparte, se lleva la peor parte*

Los mediadores suelen ganarse la enemistad de las partes contendientes, o salir mal parados al terciar en alguna pelea.

422. *Quien ríe del mal de su vecino, el suyo viene de camino*

No hay que desear ni regocijarse del mal ajeno, porque eso mismo nos puede suceder a nosotros.

Amor ¡Amor!:

423. Allá los ojos van, donde los amores están

Es fácil reconocer, por las miradas, a los enamorados. También por los ojos, entra el primer contacto de seducción entre las personas.

424. Amor y más amor, sólo a Nuestro Señor

El amor en grado superlativo tan sólo debe darse a Dios.

425. Amor fuerte dura hasta la muerte

El amor verdadero se mantiene a lo largo de la vida entera.

426. Amor y viento, por cada uno que se va, vienen ciento.

No hay que sufrir por la pérdida de un amor, porque es seguro que otros llegarán.

427. Amor, viento y ventura, poco duran

Advierte de la fragilidad de estos tres conceptos.

428. Amor trompetero, cuantas veo, tantas quiero

Censura la inconstancia y la facilidad con la que algunos se enamoran.

429. Amor y señoría, no quieren compañía

El sentimiento amoroso y el deseo de poder, no gustan de la competencia.

430. Amantes y ladrones, gustan de la sombra y de los rincones

Unos y otros, ¡aunque por motivos bien diferentes! prefieren ocultarse. Unos para no ser reconocidos. Otros para dedicarse a sus escarceos amorosos.

431. Amor con amor se paga

En sentido directo, indica que la única paga justa del amor, es la correspondencia del propio amor.

432. Amor grande, vence mil dificultades

No hay nada, dinero, distancia, posición social, que pueda vencer la fuerza del auténtico amor.

433. Amor de niña, agua en cestilla

Por su inconstancia, se va rápido, como el agua puesta en una cesta.

434. Amor loco, amor loco, yo por vos y vos por otro

Ocurre con frecuencia que la persona amada, se siente atraída por otra, que a su vez, puede ni haberse fijado en ella. Podría completarse con el popular refrán:

435. Los que me dan no quiero y los que quiero, no me dan.

436. A más amor, más pudor

El amor real, nos vuelve recatados y tímidos por el gran respeto que sentimos por la persona amada y también por el miedo a perderla.

437. *Amor, egoísmo entre dos*

Señala lo posesivos que suelen ser los amantes, formando, a menudo, un círculo cerrado en el que sólo ellos importan.

438. *Amor, dinero, fuego y tos, descubren a su poseedor*

¡Son difíciles de ocultar cosas tan notorias como éstas!

439. *Amor nunca está en su ser: o ha de menguar o ha de crecer*

Advierte que la pasión amorosa nunca suele alcanzar una posición equilibrada.

440. *Amor perfecto: sabio, solo, solícito y secreto*

Estas son las llamadas ¨cuatro eses del amor¨ que encierran la quintaesencia del amor ideal.

441. *Amor no admite división*

No se puede amar a dos personas a la vez, porque el amor, en si mismo, es exclusivo y excluyente.

442. *Amor todo lo perdona*

Cuanto más se quiere, más fácil perdonar a la persona amada.

443. *Amante ausentado, luego olvidado*

La ausencia debilita el amor, porque éste necesita de la relación y del contacto. No obstante, estos refranes tienen su opuesto:

444. La ausencia es al amor lo que el fuego al aire: apaga el pequeño y aviva el grande.

Las verdaderas pasiones lo resisten todo, la ausencia o el paso del tiempo.

445. Amor muy comedido, en poco es tenido

En el amor hay que tener cierto grado de atrevimiento y osadía, que demuestren la pasión.

446. Al buen amor, nunca le falta que dar

Cuando se ama de verdad, todo parece poco para la persona querida.

447. Amor no mira linaje, ni fe, ni pleito ni homenaje

Abunda en la idea de que el amor puede con todo y para él no hay barreras.

448. Amor primero, nunca olvidado, pero no postrero

Parece que la primera vez que nos sentimos enamorados, no puede olvidarse nunca. Tal es la fuerza del primer amor. Pero si no llega al buen fin, no quiere decir que no puedan existir otros amores que nos llenen y nos hagan felices.

449. Árboles y amores, mientras tengan raíces, tendrán frutos y tendrán flores

De sentido claro, nos enseña que, una implantación sólida, del árbol o del amor, impide que éstos se sequen o mueran.

450. *A gato viejo, rata nueva*

Ironiza sobre los hombres que se enamoran de jóvenes que podrán ser sus hijas.

451. *Cuando se enciende el pajar viejo, arde más que el nuevo*

Alude a que, en la vejez, se pueden vivir también grandes pasiones, tan desordenadas o peligrosas como en la juventud, y, en ocasiones, incluso más.

452. *Cuando el hambre entra por la puerta, el amor sale por la ventana*

La necesidad y el amor no casan bien, cuando se trata se amores interesados. Sin embargo, otros refranes ponen de manifiesto, que de nada sirven las riquezas sin el cariño, o que, cuando existe amor, se soportan bien otras carencias:

453. *Más vale pan con amor, que gallina con dolor*

454. *De enamorado a loco, va muy poco*

Resalta lo mucho que de locura tiene el amor. Una canción popular dice: "Cuatro sentidos tenemos, los cinco necesitamos, pero los cinco perdemos cuando nos enamoramos.

455. *De querellas* vienen las querella*

Juego de palabras que nos dice que de amar a las mujeres, le vienen al hombre los disgustos.

*querellas= quererlas, amarlas.

456. Donde hay amor, hay dolor

Indica que todo sentimiento amoroso, conlleva dolor, pues si bien con el amor se alcanza la felicidad, a veces, por celos, dudas, miedo a perderlo y otra serie de circunstancias, es un cúmulo de desdichas.

457. El amor es ciego

Se interpreta en el sentido de que el amante no ve defecto ni falta en la persona amada, aunque sean evidentes para el resto de los mortales.

458. El amor no quiere consejo

El que ama, no atiende a consejos ni advertencias sobre el objeto de su pasión ¡por muy acertados que sean!

459. El amor nunca hizo cobardes

Para vencer los problemas, el enamorado se hace valiente y arrostra todo tipo de dificultades, sin desfallecer ante los obstáculos. Hasta el hombre, o la mujer, más tímidos y apocados son capaces de transformarse para cuando se fijan un objetivo amoroso y quieren llegar a él.

460. El hombre es fuego, la mujer estopa, llega el diablo y sopla

Advierte de los supuestos peligros que entrañan las relaciones entre las personas de diferente sexo.

461. Entre dos que bien se quieren, con uno que coma basta

En un sentido significa que, en las uniones muy fuertes, dos personas se sientan como una sola. Pero, de forma irónica, indica que, en muchas relaciones, uno sobrevive a costa del otro.

462. *En tristezas y en amor, loquear es lo mejor*

En situaciones extremas, de amor o de pena, a veces la mejor salida es la más ilógica o la más inesperada.

463. *Ira de enamorados, amores doblados*

Las discusiones de enamorados, propician dulces reconciliaciones que suelen incrementar el cariño.

464. *La herida del amor, sólo la cura quien la causó*

Para un corazón herido, el consuelo y la curación, no pueden venir más que de aquel que produjo ese dolor.

465. *Los amores entran riendo y salen llorando*

En los primeros tiempos de una relación, todo son mieles y glorias, pero cuando termina siempre es duro, ingrato y doloroso.

466. *Más fuerte era Sansón y le venció el amor*

No cabe vanagloriarse de que uno se sienta inmune ante las tentaciones del amor. El que más presume de ello, es el que más atrapado queda en sus redes.

467. *Ni sábado sin sol ni mocita sin amor*

Aunque a este refrán se le dan muchas explicaciones, parece la más lógica la que nos dice que el sábado es un día de asueto, que no se concibe sin buen tiempo, al igual que las jovencitas lo más normal es que tengan algun amorío.

468. *No hay mal de amores que no s alivie, ni pena por hembra (hombre) que no se olvide*

Con el paso del tiempo, que todo lo cura, también las penas de amor se van borrando . Por eso otro refrán nos dice:

469. *El amor maltrata, pero no mata*

470. *Quien bien ama, tarde olvida*

El amor firme todo lo soporta, tiempo y ausencia y también, cuando se ha querido mucho, cuesta mucho olvidar.

471. *Quien bien ama, bien desama*

Los que han sentido un gran amor, pueden, llegadas las circunstancias, odiar con la misma intensidad la persona amada.

472. *Un clavo saca otro clavo*

Un nuevo amor puede, siempre, sustituir a otro que se ha perdido.

Más Refranes sobre la Salud

- *Agua cocida alarga la vida.*(8)

- *Beber con medida, alarga la vida.*(18)

- *Cada chupetón de teta, es un arrugón de jeta.*(32)

- *Cada mametón, es un arrugón.*(32)

- *Después de comer, ni pasear ni estar de pie.*(39)

- *Dolencia larga, lleva la muerte en zaga.*(43)

- *El buen cirujano, corta por lo sano.*(50)

- *Joven que nada duerme y viejo que siempre duerme, cerca tienen la muerte.*(69)

- *Juventud sin salud, llámala decrepitud.*(71)

- *Da igual morir del hígado que de la hiel.*(78)

- *Todo lo que mata, es malo.*(78)

- *Después de la leche, nada eches.*(83)

- *Llagas hay que no se curan y toda la vida duran.*(86)

- *Una manzana por la mañana, aleja al médico de la casa.*(101)

Los refranes aquí detallados complementan los que aparecen en el capitulo. El número que figura a su derecha señala el refran con el que tienen un sentido similar.

El dinero

- *A dineros pagados, brazos cansados.*[115]
- *Dádivas quebrantan peñas.*[116]
- *Una gran fortuna, es una gran servidumbre.*[122]
- *A falta de pan, buenas son tortas.*[123]
- *A falta de gallina, bueno es caldo de habas.*[123]
- *Nadie da nada por nada.*[131]
- *Fatigar para nada ganar.*[132]
- *La fiesta, con lo que sobre.*[134]
- *Quien mucho pide nada alcanza.*[136]
- *Quien machaca, algo saca.*[137]
- *El importuno, vence al avaro.*[137]
- *El que la sigue la consigue y el que la persigue, la mata.*[137]
- *Dinero llama a dinero.*[140]
- *Al pobre le faltan muchas cosas, al avaro todas.*[146]
- *Al romero que se le seca el pan en el zurrón, no hay que tenerle compasión.*[147]
- *Mucho te quiero, perrito, pero pan poquito.*[153]
- *Bienes de campana, dálos Dios y el demonio los derrama.*[129]
- *Todos tenemos un precio.*[157]

- *Muchas gotitas hacen correr un río.*(158)

- *Comprando al por mayor y vendiendo al por menor, el pobre llega a ser señor.*(160)

- *La limosna callada, es la que a Dios agrada.*(161)

- *Mejor es pan duro que ninguno.*(164)

- *Cuando te dieren la vaquilla, corre con la soguilla.*(165)

- *Más vale algo que nada.*(165)

- *Quien dineros ha de cobrar, muchas vueltas ha de dar.*(174)

- *Tenga, tenga y venga de donde venga.*(175)

- *Sacar y no meter, echar la casa a perder.*(176)

- *Dineros son calidad.*(179)

- *La abundancia mata a la gente.*(187)

- *Por el pan baila el perro.*(189)

- *La necesidad no conoce ley.*(190)

- *A no existir el dinero ¿cómo se llenaría el infierno?* (204)

El amor

La familia

- *¿Cuñados en paz y juntos? No hay duda que son difuntos.*(232)

- *No hay amor como el de madre que los demás son humo y aire.*(237)

- *Más vale aliento de madre que leche de ama.*[237]

- *De casta le viene al galgo ser rabilargo.*[243]

- *El que a los suyos se parece, honra merece.*[244]

- *Riña de hermanos, lavatorio de manos.*[251]

- *La sangre nunca se vuelve agua.*[267]

- *Madrastras, la mejor a rastras.*[275]

- *No hay mejor pariente que el amigo presente.*[279]

- *Más vale un amigo, que pariente ni primo.*[279]

- *Desde chiquitito, se ha de criar al árbol derechito.*[280]

La amistad

- *El amigo es otro yo.*[281]

- *Amigo leal y franco, mirlo blanco.*[282]

- *Amigos y relojes de sol, sin nubes sí, con nubes no.*[283]

- *Amistad por interés, hoy es y mañana no es.*[287]

- *Amigo falso, vino emponzoñado*[288]

- *Amigo y vino, el más antiguo.*[290]

- *Al amigo lo prueba el peligro.*[291]

- *El piojo hambriento, pica más que ciento.*[312]

- *Quien de amigos carece, es porque no los merece.*[316]

Amor ¡Amor!

- Para ser amado, ama.(327)

- El amor todo lo puede.(328)

- Amor, al buen amador nunca demasiado pecado.(332)

- Amor y luna se parecen: cuando no menguan, crecen.(335)

- Amor de uno, Dios lo dispuso, amor a dos, lo prohíbe Dios. (337)

- Amor no sufre segundo.(337)

- A mucho amor, mucho perdón.(338)

- Quien bien ama, pronto olvida.(338)

- Amor es demencia y su médico la ausencia.(339)

- Amor requiere presencia y no ausencia.(339)

- Amor que no es atrevido, nunca logra sino olvido.(341)

- Amor que no es osado, poco estimado.(341)

- Galán atrevido, de las damas preferido.(341)

- El dar es la piedra de toque del amor.(342)

- Amor gran igualador.(343)

- En acabándose la plata, el amor se desbarata.(348)

- Contigo, pan y cebolla.(349)

- Amar sin padecer, no puede ser.(352)

- Padecer por mucho amar, no es padecer, que es gozar.(352)

- *Asna con pollino, no va derecha al molino.*(356)

- *Amores reñidos son los más queridos.*(356)

- *A quien más resiste, con más fuerza el amor embiste.*(362)

- *Aborrecer después de haber querido, mil veces ha sucedido.*(367)

- *Del amor al odio sólo hay un paso.*(367)

- *La mancha de mora con otra verde se quita.*(368)

Capítulo 2.

La mujer

Un proverbio árabe dice que"las mujeres son la mitad del cielo", pero por estos pagos no parecen estar muy acuerdo, a tenor de los muchos refranes que ponen de manifiesto la supuesta "perversidad" de las féminas. Claro que si tenemos en cuenta que, hasta el siglo XVII, se discutió si la mujer tenía o no alma, ¡no es de extrañar que, a nivel popular, las descendientes de Eva representasen el colmo del pecado y de la seducción! No obstante, en algunos refranes, se reconoce que la mujer de ¡algo vale!: *"Casa sin mujer y barco sin timón, una misma cosa son"* o *"Mujer buena, inestimable prenda"*

473. *A caso repentino, el consejo de la mujer; al de pensado, el del más barbado*

La mujer, por ser más intuitiva, puede resolver mejor cualquier imprevisto. Sin embargo, aconseja que, para decisiones más meditadas, se recurra a los de más edad y conocimiento.

474. *A la mujer brava, dalla soga larga*

Aconseja que, ante lo inevitable, se actúe con prudencia, esperando el momento idóneo para actuar. Así, si la mujer es brava, es mejor darle "carrete" que no quererla sujetar contra su voluntad.

475.¡*Ay Señor, por quien tu eres, no se acaben las muje-*
res!
Graciosos refrán, puesto, se supone en boca de los hombres,
donde se reconoce el gran servicio que prestan en todos los ámbitos de la vida.

476.*A la moza que mal lava, siete veces hierve el agua*
Porque no ve el momento de ponerse a ello, y pierde el tiempo en
otras mil cosas.

477.*A la mujer muy casera, el marido bien la quiera*
Se ocupa de su hogar, y está recogida, sin andar cotilleando, de
acá para allá.

478.*A la mujer y al ladrón, quitarles la ocasión*
Según nos dice, ambos son proclives a caer en tentaciones con
suma facilidad.

479.*A la puta y al barbero, nadie los quiere viejos*
Por razones evidentes!

480.*A la que quiere ser mala, poco aprovecha guardarla*
Igual se podría aplicar a los hombres. Y es cierto, que como uno
no se guarde a sí mismo, los condicionantes externos poco pueden hacer.

481.*A los treinta doncellez, muy rara vez*

482.A la mujer y al papel hasta el culo se le ha de ver
Por conocerlos bien y que no exista posibilidad de engaño.

483.Al que tiene mujer hermosa, o castillo en frontera, o viña en carrera, nunca le falta guerra
¡Dan mucho qué hacer y qué pensar! La primera para que nadie se la quite. Lo segundo, para protegerlo de posibles enemigos, y la tercera porque al estar a la vera del camino, es de mucha tentación para los que pasan, y hay, también, que proteger los frutos.

484.Antes mujer de quien nada es, que querida de un marqués

485. A la fea, el caudal de su padre la hermosea
Si no hay belleza, ¡bien puede suplirse con una buena dote!

486. A la buena mujer, poco freno basta
Porque ella sabe estar siempre en el lugar que le corresponde.

487. A la hija muda, su madre bien la entiende
No hay como la madre para entender todo lo que se refiera sus hijos. En sentido general, nos dice que,cada uno, comprende, mejor que nadie, lo concerniente a los suyos.

488. A la luz de la tea, no hay mujer fea
Como es lógico, la poca luz disimula los defectos. ¡No en vano "de noche, todos los gatos son pardos"!

489. A la mujer barbuda, de lejos se la saluda, con dos piedras que no con una

Según un prejuicio popular, a las mujeres velludas se les atribuye peor carácter que a las demás, por suponerlas menos atractivas y más hombrunas

490. A la mujer y a la viña, el hombre la hace garrida

En el buen porte de la mujer y la lozanía de la viña, se nota el cuidado y la atención que les presta su dueño.

491. A mujer parida y tela urdida*, nunca les falta guarida

A la primera por consideración y a la segunda porque es útil en todas partes.

492. A la mujer casada, el marido le basta

Da a entender que la esposa debe sólo complacerse y complacer a su marido.

493. A la noche putas, a la mañana comadres

Ironiza sobre las de hábitos alegres y liberales que, no obstante, quieren parecer honestas y recatadas.

* tejido ya hecho

494. Boca bozosa, cría mujer hermosa

Este refrán, un tanto curioso, en sentido literal, señala que la mujer es más atractiva si tiene algo de "bozo", o sea, vello en el labio superior. También se le atribuye el sentido de que se trata de una mujer hacendosa, pues cuando se hilaba o se cosía, al partir los hilos con la boca, podían quedar restos en el labio, lo que indicaba que era mujer trabajadora.

495. Caballo, mujer y escopeta, son prendas que no se prestan

Por tratarse de cosas intrínsecamente personales.

496. Compuesta no hay mujer fea

Indica que, arregladas y bien vestidas, todas las mujeres tienen su aquel, y que todas pueden sacarse partido de los muchos o pocos encantos que se tengan. Este refrán se complementa con:.

497. La mujer compuesta, quita al marido de otra puerta

Si la mujer propia sabe hermosearse, el marido no irá a buscar fuera lo que ya tiene en casa.

498. Con la mujer y el dinero, no te burles, compañero

Son dos temas importantes, que no hay que tomar a broma y que merecen recato y cuidado en el trato.

499. Cuando de las mujeres hables, acuérdate de tu madre.

Contra la misogínia masculina. Todos los hombres, son nacidos de mujer, y el mismo respeto que sienten por ella, debería de presidir sus opiniones y comentarios sobre la mujer en general.

500. De la fea, su mejor guarda es que lo sea

Se supone que la mujer poco atrayente, al ser menos pretendida, tiene pocas ocasiones de caer en la tentación.

501. De la mala mujer te has de guardar; y de la buena, no fiar

Como otros muchos refranes, parece indicar que no conviene nunca poner confianza en la mujer, sea ésta como sea. Con este mismo significado, tenemos:

502. De la mujer mucho bueno has de esperar y mucho malo has de temer

503. De mujer libre, Dios nos libre

¡Por lo visto, y según el refranero, la libertad no casa con la mujer! y la mejor, es la que esta en casa y hace lo que desea el marido.

504. De la mujer que mucho llora, no fíes gran cosa: y de la que no llora en su vida, menos todavía

505.Dios, que es el "non plus ultra" del saber, se hizo hombre y no mujer

506.Doncella muy recluida, no se casará en la vida; aire necesita, aire y que la vean los galanes

Tan malo es andar siempre exhibiéndose, ¡como estar en reclusión! porque, si no hay nadie que la vea, mal puede encontrar marido.

507.Doncellas y yeguas requieren ferias

Al igual que el refrán anterior, pone de manifiesto que necesitan mostrarse.

508.Doncellas muy guardadas, aborrecen a quien las guarda, y a quien las quiere llevar, aman

El exceso de celo en protegerlas, hace que se vayan con el primero que les diga algo, precisamente por salir de tutelas tan pesadas.

509. Donde no hay mano de mujer, poco aliño puede haber.

La mujer es la que, generalmente, se encarga de todas las labores de la casa. Por eso, si falta su mano, ¡todo va "manga por hombro"!

510. De la mujer, del tiempo y de la mar, poco hay que fiar

Por su naturaleza, se pueden mudar con facilidad, y, en un momento, tornarse de tranquilos en irritables y viceversa.

511. El dinero y la mujer, en la vejez son de menester

Ambas cosas hacen más llevadera esta etapa de la vida. El primero, proporciona el bienestar, y la segunda, los cuidados.

512. El seso sorben, las mujeres a los hombres.

513. En cochino y en mujer, acertar y no escoger

514. El consejo de la mujer es poco, y el que no lo toma, un loco

La mujer suele ser mas desconfiada que el hombre. Sopesa más los pros y los contra antes de tomar una determinación, por lo que sus consejos son acertados y es recomendable tenerlos en cuenta.

515. En habiendo por medio belleza, raro es quien no tropieza

Una mujer hermosa, es fácil que lleve a cualquier hombre por dudosos derroteros.

516. El hombre propone y la mujer dispone

Variante de "el hombre propone y Dios dispone". Insiste en la idea de que los hombres gobiernan el mundo, pero, a su vez, están dominados por las mujeres. Hay un explícito refrán que va más allá en esta afirmación:

517. *La mano que mece la cuna, es la que domina el mundo*

Sólo la mujer puede engendrar y parir. Además, la educación y la custodia de los hijos siempre le han correspondido a ella, lo que supone que el futuro de la sociedad está en sus manos.

518. *En cojera (gemir) de perro y en llanto de mujer, no hay que creer*

Indica que las mujeres lloran y se lamentan con facilidad, al igual que los perros que cojean al menor golpe o gimen para lograr cualquier cosa. Sin embargo, hay una coplilla popular que también hace referencia a los hombres y sus llantos: "No te fíes de los hombres, aunque los veas llorar, porque son como el demonio, que llora para engañar"

519. *En lo que el diablo no sabe qué hacer, pide consejo a la mujer*

Se supone que la mujer es un ser astuto y maligno, por lo que, lógicamente, no es de extrañar que se convierta en asesora del demonio

520. *El melón y la mujer, difíciles de conocer*

Hasta que no se catan, no se sabe cómo van a salir.

521. *Firmeza en mujer y en luna ¿quién la busca?*

Así como la luna tiene sus fases que cambia periódicamente, a la mujer se la cree , igualmente, voluble y mudable.

522.*Gatos y mujeres, buenas uñas tienen*
¡Y bien que saben usarlas cuando tienen que defenderse!

523.*Hombres y mujeres, Dios los desenrede, que el demonio no quiere*
Porque es condición, de los unos y de las otras, estar siempre"enredados", para bien o para mal.

524.*La doncella recatada, será buena casada*
La que es discreta de soltera, también lo será cuando tome estado, y el recato nunca está de más.

525.*La mujer que lo sabe ser, tres galanes ha de tener: uno para el gusto, otro para el gasto y otro para que lleve los cuernos al rastro*

526.*La viuda joven en su cama, al muerto llora y por un viudo clama*

527. *La mujer ardida*, no es bien echada cuando dormida*
Porque madruga y está cansada. También es ironía contra las flojas. (Textual correas)

528. *La mujer blanca, encubre ciento y una falta*
Advierte que, aún la mujer más transparente, puede tener mil recovecos.

*ardida= trabajadora, valerosa

529. *La mujer buena, corona es del marido, y el marido honrado, de la mujer es dechado*

Cuando ambos cónyuges son como es debido, los dos son una joya, el uno para el otro.

530. *La mujer con bigote, no necesita dote*

Se suponía que la mujer peluda sería menos frívola y coqueta, más dedicada al trabajo y menos atractiva para los ajenos, Así que resultaba una buena adquisición para el marido y el hogar.

531. *La mujer artera*, el marido por delantera*

Cuando no quiere hacer algo, pone por excusa que a su marido no lo sabe o que no le gusta.

532. *La mujer buena y leal, es un tesoro real*

533. *La mujer, cuanto más mirare la cara, tanto más destruye la casa*

Contra las que no piensan más que en su arreglo personal y no se ocupan de su hogar.

534. *Las mujeres donde están sobran y donde no están, faltan*

Los hombres están prontos a encontrar todo tipo de defectos a las mujeres, pero, en el fondo ¡y en la forma!, no pueden vivir sin ellas.

artera= lista, astuta

535. *La mujer es como la sombra: si se la sigue huye, si se la huye, sigue*

Cuando una mujer se sabe pretendida, parece que siente menos interés, mientras que si es rechazada, pone en marcha todas sus armas para atraer al que la ha desdeñado.

536. *La mujer ha de hablar, cuando la gallina quiera mear*

La mujer debe ser discreta en el habla, ¡es más! según este refrán, no debería de hacerlo nunca.

537. *La mujer honrada, la pata quebrada y en casa*

Aunque es uno de los refranes más populares, en los tiempos que corren, está irremediablemente anticuado. Quiere señalar que, la mujer, debe gozar de poca libertad y que donde mejor está recogida es en su hogar.

538. *La mujer deshonesta, franca te tiene la puerta*

La casa de la mujer que en poco tiene a su honra, está abierta a todos.

539. *La mujer deshonesta cuando envejeció, ya que dió su carne al diablo, da los huesos a Dios*

Ironiza sobre las mujeres livianas, que a la vejez, se vuelven beatonas.

540. *La mujer de buen palmito, cabeza de chorlito*
Abunda en el tópico de que la mujer guapa, suele ser superficial y tonta.

541. *La mujer en la iglesia santa; ángel en la calle; búho en la ventana; en el campo cabra y en su casa, urraca*
Lo que debe ser la mujer en cada circunstancia.

542. *La mujer loca, por la vista compra la toca*
Reprende la ligereza de entrar en negocios sin examinar, con cuidado, sus consecuencias.

543. *La mujer placera dice de todos y todos della*
La que anda de aquí para allá, criticando a los demás, a su vez, también está en boca de todos.

544. *La mujer aseada, la cama hecha y la cabeza tocada*
Son las dos primeras cosas que hace la mujer cuidadosa: la cama en su casa y peinarse ella para presentar un buen aspecto.

545. *La mujer que a la ventana se pone de rato en rato, venderse quiere barato*
Aconseja que no es bueno exhibirse en demasía, so pena de aparentar querer "venderse " a cualquier precio.

546. *La mujer que con muchos casa, a pocos agrada*

La que se concierta o sale con muchos, sin casarse con ninguno, al final no encuentra con quien hacerlo (Correas)

547. *La mujer que cría, ni harta ni limpia*

Porque la crianza "come" mucho y al tener el niño en los brazos es seguro que acabará manchada.

548. *La mujer que no ha de ser loca, anden las manos y calle la boca*

La que es sensata, trabaja, tiene las manos siempre ocupadas y es discreta a la hora de hablar.

549. *La mujer que mucho hila, poco mira*

Cuando se trabaja mucho, hay poco tiempo para otras contemplaciones. El reverso de este refrán es:

550. *La mujer que mucho mira, poco hila*

551. *La mujer que es holgazana, sólo es sábado se afana*

La más vaga, le da por hacer algo justo en el día de asueto. En algunos lugares del levante español, se dice un refrán con el mismo significado:

552. *Cuando se va a luz, se pone a bordar*

553. *La mujer que no sabe cocinar y gata que no sabe cazar, nada val*

Si no sirven para su fin principal, de nada valen.

554. *La mujer que a dos quiere bien, Satanás se la lleve, amén*

Ironiza sobre querer a más de uno, cosa que nunca sale bien, ni para ella, ni para ellos. ¡Para llegar a semejante situación, mejor que se la lleve el diablo! (Correas)

555. *La mujer que poco hila, siempre trae mala camisa*

Quien poco trabaja, poco puede prosperar.

556. *La mujer que te quiere, no dirá lo que en ti viere*

Porque no contará los defectos o faltas que pudiera tener la persona querida.

557. *La primera mujer escoba, la segunda señora*

Suele suceder que los que se casan en segundas nupcias, tratan mejor a la segunda mujer que a la primera, tal vez porque se dan cuenta de lo que la necesitan.

558. *La que de treinta no tiene novio, tiene un humor de demonio*

Cuando la meta de la mujer era el matrimonio, llegar a una determinada edad sin tener novio, se convertía en un problema. Además, se suponía que al no tener pareja, tampoco tenía relaciones sexuales, lo que contribuía a agriar su carácter. (Correas)

559. *La mujer ociosa, nunca virtuosa*

560. *La mujer sabia levanta su casa; la necia la derrueca*

561. *La mujer trocó el seso por el cabello*
Refrán. a todas luces injusto, que una vez más, hace alusión al poco
entendimiento de la mujer.

562. *La mujer y a la mula, por el pico les entra la hermosura*
Por la boca, o sea comiendo, entra lo que , tradicionalmente, era la
"hermosura", un cuerpo llenito y abundante.

564. *La suerte de la fea, la guapa la desea*
Las mujeres que son poco agraciadas, lo compensan con simpatía y
encanto, y a su vez, son menos selectivas, por lo que suelen hacer buenas bodas. Las guapas se lo tienen más creído, y a pesar de su belleza, a veces, se quedan "para vestir santos". Una graciosa coplilla dice
sobre este asunto: "Me dijiste que era fea, me pusiste una corona, más
vale fea con gracia, que no bonita y bobona"

565. *La mujer y la cabra es mala siendo flaca y magra*
De siempre se consideró que la delgadez era síntoma de enfermedad
y fealdad. ¡Mujeres y otros animales, para estar bien, debían tener algo
de carne!

566. *La mujer y el buey de la tierra han de ser*
Porque sean conocidos y cercanos.

567. *La mujer y la galga, en la manga*

Es un refrán que festeja que la mujer, como el galgo, es más apreciada cuanto más menuda y esbelta.

568. *La mujer y la gallina, hasta la casa de la vecina*

Recomienda a la mujer, evitar los riesgos que supone no estar recogida en su casa, y debe alejarse, como mucho, hasta la casa de la vecina.

569. *La mujer y la pera, la que calla es buena*

Aconseja la discreción. La alusión a la pera, es porque, si está verde, al cortarla cruje. Cuando está madura, y buena para comer, no lo hace, o sea, ¨que calla".

570. *La mujer y el huerto, no quieren más que un dueño*

Ninguna de estas dos cosas deben compartirse.

571. *La mujer y el melón cuanto mas maduros, mejor*

572. *La mujer y el niño, sólo callan lo que no han sabido*

Señalan que ambos, son incapaces de guardar un secreto.

573. *La mula buena, como la viuda, gorda y andariega (Libro de Buen Amor)*

Pone de manifiesto cuáles son las mejores cualidades que pueden tener ambas.

574. *La mujer y la espada, las armas y el caballo de muchos ha de ser codiciado, más no fiado*

Son bienes que por su valía, deben ser deseados por los demás, pero no deben confiarse a nadie más que a su legítimo dueño.

575. *La mujer y la camuesa* por su mal se afeitan**

La mujer muy arreglada, es objeto de deseo, así como la manzana, que cuando se colorea da a entender que ya está buena para comer.

576. *La mujer y el fraile, mal parecen en la calle*

Porque deben estar recogidos, cada uno en su lugar. La mujer en casa y el fraile en su celda.

577. *La mujer y la sardina, de rostros en ceniza*

Recomienda a la mujer que se ocupe de su hogar. Su sentido directo es que la sardina como mejor está, es asada, y la mujer, inclinada sobre el fuego del hogar. Se refiere a cuando se cocinaba en las chimeneas, con fuegos a base de leña. (Marqués de Santillana)

578. *La mujer y el vino, sacan al hombre de tino*

Son las dos cosas que más seducen al hombre, y por las que más tonterías puede llegar a hacer.

*camuesa= manzana muy sabrosa

* afeites= por engalanarse, arreglarse con cosméticos

579. *Llorando, engañó la mujer al diablo*

Las lágrimas femeninas parece que tiene mucho poder, ¡tanto como para poder engañar hasta al mismísimo demonio!

580. *Llorando, la mujer, hace del hombre lo que quiere*

581. *Mujer que habla latín, rara vez tiene buen fin*

Sabido es la desconfianza, y hasta el desprecio, que, antiguamente, se tenía por las mujeres cultas.

582. *Mujer, molino y huerto, siempre quieren gran uso*

Compara a la mujer con el molino y la huerta, que están mejor cuando se atienden con solicitud.

583. *Mujer por lo que valga, no por lo que traiga*

Advierte que hay que elegir a la mujer por sus cualidades y valía personales, no porque sea rica o tenga buena dote.

584. *Muéstrame a tu mujer, decirte he qué marido tiene*

Por el aspecto de la mujer, se pude saber cómo es el marido, si la trata bien, si es generoso, si se ocupa de ella. También tiene el sentido de que según sea el porte de los inferiores, se conoce el gobierno del superior.

585. Mujer graciosa , vale más que hermosa

Con frecuencia, la mujer con gracia, es simpática y agradable, y resulta mejor compañera que la hermosa. La belleza, se puede perder, mientras que las cualidades anímicas son mucho más duraderas.

586. Mujer vinosa, no hay en el mundo peor cosa

Si la embriaguez se ve mal en todo el mundo, parece que en la mujer es un vicio doblemente desagradable.

587. Ni mujer de otro ni coces de potro

Señala lo peligroso que puede resultar tener tratos con mujer que no sea la propia.

588. Ni mula con tacha, ni mujer sin raza

Aconseja elegir a la mujer de buen familia, en el sentido de que tanto la madre como las otras mujeres que la forman, sean de reconocida bondad.

589. No hay hermosa sin tacha

Indica que, por muy perfecta que sea la hermosura, física o espiritual, siempre hay algun defectillo.

560. No es poca la lana que hila, la mujer que a sus hijos cría

Se necesita paciencia, constancia, mucho trabajo y mucho amor para sacar adelante a la prole. Por eso dice que mucho hace la mujer que cumple con ello.

561. No hay mujer sin pero, ni sin tacha caballero
Es algo evidente. Tanto el hombre como la mujer, todos tienen sus defectos y sus virtudes.

562. No hay mujer vieja de la cinta para abajo

563. No hay mujer tan alta, que no huelgue de ser mirada
A todas las mujeres les gusta ser admiradas, aunque sean de posición social elevada o sean altas de estatura. Esto último viene a cuento porque, durante siglos, el canón de belleza prefería a la mujer menuda.

564. Para la mujer borracha, la mejor cura es la estac

565. Por dondequiera que fueres, ten de tu parte a las mujeres
Conviene tener a las mujeres como aliadas cuando se quiere conseguir algo. Son constantes, decididas e incondicionales cuando prestan su apoyo a alguna causa.

Otro refrán que tiene un sentido parecido es:

566. Por las faldas se sube a las montañas
Señala que, en muchas ocasiones, los hombres alcanzan "las cimas del éxito", gracias a los sacrificios, o a los buenos oficios de las mujeres.

567. *Puta primaveral, alcahueta otoñal y beata invernal*

Describe, de forma bastante gráfica, la trayectoria de la mujer de "vida alegre". De joven, cuando es guapa y atractiva, puta. De mediana edad, cuando los encantos empiezan a declinar, componedora de encuentros carnales y cuando llega la vejez, ¡a ponerse a bien con Dios para terminar la vida como santa!

568. *¿Qué es más mudable que el viento? De la mujer el pensamiento*

569. *Quien a muchas fiestas lleva a su mujer, puta la quiere ver*

Porque la pone en muchas tentaciones y, además, la acostumbra a una vida fácil y muelle.

570. *Rara es la mujer hermosa que no tenga un ramito de loca*

Abunda en la idea, no siempre acertada, de que las mujeres hermosas son engreídas y tontas.

571. *Sin tacha ninguna, no hay ni mujer ni mula*

572. *Una buena mujer, veinte cosas buenas ha de tener; y si le falta una, en algo le marró la fortuna*

573. *Viuda honrada en su casa retirada*

574. *Viuda andariega, bien liga con el primero que llega*

Más refranes sobre la mujer

• *La mujer y la tela, no se han de escoger a la candela.*[373]

• *Con la mujer barbuda y el hombre desbarbado, ¡mucho cuidado!*[374]

• *Con la mujer y el fuego, no te burles, compañero.*[383]

• *De las mozas y del viento, hay que estar a barlovento.*[383]

• *El hombre propone, Dios dispone y la mujer descompone.*[390]

• *El hombre piensa y la mujer da qué pensar.*[390]

• *Fealdad es castidad, no para la fea sino no para los demás.*[385]

• *Ante la duda, la más peluda.*[398]

• *La mujer no ama a quien la ama, sino a quien le viene en gana.*[403]

• *Lágrimas de mujer, difíciles de creer.*[392]

• *Las cartas y las mujeres, se van con quien ellas quieren.*[403]

• *La mujer y la sartén, en la cocina están bien.*[405]

• *Quien fuera de su pueblo se va a casar, o va engañado o va a engañar.*[433]

• *Mujer y rocino, tómalos del vecino.*[433]

- *La mujer y la sardina, pequeñinas.*(434)
- *La mujer menudita, siempre pollita.*(434)
- *La mujer que a dos dice que quiere, a entrambos engaña.*(422)
- *La que tiene buen marido, en la cara lo lleva escrito.*(449)
- *Por muy fea que sea, no hay mujer que se tenga por fea.*(453)
- *Talento y belleza toda en una pieza, gran rareza.*(429)
- *La belleza y la tontería, van siempre en compañía.*(429)
- *La mujer y la espada pueden ser mostradas, no confiadas.*(441)

Capítulo 3.

La vida y la sociedad

Capítulo 3.

La vida y la sociedad

Desde que el hombre nace hasta que muere, su vida se desarrolla en la sociedad.

En cualquier ámbito, desde el seno familiar, al trabajo o las grandes urbes, el ser humano se encuentra rodeado de sus iguales, con lo que ésto supone en ventajas y desventajas, de ayudas y zancadillas, porque, al fin y al cabo, todos estamos sujetos a pasiones similares y deseos comunes.

La vida y la sociedad, unas veces nos hace felices y otras, desgraciados. Algunas veces precavidos y otras descuidados. A algunos hace necios y a otros, astutos y avisados, porque ¡"de todo tiene que haber en la viña del Señor"!

Y para toda situación de nuestras complejas vidas y sociedades, tenemos un refrán que nos permite concretar, en pocas palabras, una idea contundente y certera, sobre grandes verdades.

La vida
Las edades del hombre

La niñez

575. *Al niño y al mulo, en el culo*
Advierte que al niño hay que reprenderlo de forma que le sirva de escarmiento, pero sin pasarse

576. *Cada niño al nacer, trae un pan debajo del brazo*
Se utiliza para animar a los padres en la seguridad de que van a poder criar a sus retoños sin que nada les falte.

577. *Carne que crece, no puede estar sino mece*
Expresa que los niños, son naturalmente inquietos, que tienen que moverse y jugar.

578. *¿Dónde se arrima el niño? Donde ve cariño*

579. *El niño quiere ser lavado y andar limpio*

580. *El niño que llora, de mear se ahorra*

581. El niño por su bien llora y el viejo por su mal

El niño llora para pedir su comida, para que le atiendan o le limpien. Para sentirse bien ha de llorar porque es su única forma de expresión. Sin embargo, el viejo llora por su mal o enfermedad.

582. El niño regalado, todo el tiempo es airado

El que se cría con demasiados mimos, siempre está descontento.

583. El niño y el cochino, adonde les dan el bocadillo

584. El niño y el potro, primero sarnoso para ser hermoso

Indica que los niños que nacen pequeños o poco lucidos, luego engordan y se desarrollan con más facilidad.

585. El pollo ¨pío,pío¨ y el niño ¨mío,mío¨

Refrán que pone de manifiesto el egoísmo infantil.

586. Este niño me alaba, que come y mama

Se halaga a la persona de la que se obtienen beneficios.

587. Los niños, de pequeños, que no hay castigo después para ellos

Las malas inclinaciones han de corregirse en la infancia, porque cuando son adultos, nada se puede hacer.

588. Niño mimado, niño ingrato

Cuando se le educa con muchos miramientos, en la madurez no suele agradecer los desvelos que con él han tenido, porque la abundancia y el mimo, aburren.

589. Niño que has de acallar, no lo hagas llorar

No se debe hacer rabiar al niño al que se pretende complacer.

590. Ni al niño el bollo ni al santo el voto

No deben prometerse aquellas cosas que no pueden darse.

591. Niños y gente loca, la verdad en la boca. Cuerdos y sabios, la mentira en los labios

La proverbial inocencia de los niños y los locos, hace que siempre digan la verdad, sin importarles las consecuencias. Los demás, la callan, muchas veces, bien sea por interés propio o por cualquier otra causa.

592. Niños y mujeres dan más disgustos que placeres

593. Niños viejos y viejos niños, mal aliño

Cada uno debe comportarse y actuar según su edad. Tan ridículo es que un niño se comporte como un viejo, como que éste haga las cosas propias de la infancia.

594. Quien con niños se acuesta, cagado amanece

Cuando se deja el manejo de negocios o situaciones a personas ineptas, los resultados son decepcionantes.

595. Si el niño llorare, acállelo su madre, y sino quiere callar, déjelo llorar

Aconseja que cada uno cumpla hasta donde pueda en la medida de sus fuerzas y capacidades, sin preocuparse de más.

596. *Si eres niños y has amor*, ¿qué harás cuando seas mayor?*

Si de niños se tienen malos hábitos y no se corrigen en su momento, aumentan con el paso de los años y se hace imposible su enmienda.

* amor, se refiere a los vicios que éste puede traer consigo

La juventud

597. *A poca barba, poca vergüenza*
Indica que la juventud, la "poca barba", por falta de experiencia, es más atrevida e inconsciente.

598. *Hombre mancebo, perdiendo gana seso*
Los errores de juventud, ayudan al hombre, en su madurez, a ser sensato y cuerdo.

599. *Juventud, calor y brío. Vejez, tembladera y frío*
Características propias de estas dos edades.

600. Juventud con hambre quisiera yo, y vejez con hartura no

Más vale ser joven, aunque se tenga poco o nada, que anciano aunque se posea mucho.

601. Juventud licenciosa, vejez penosa

Cuando se abusa en la juventud, de todo tipo de placeres, la salud, en la vejez, se resiente sin remedio.

602. Jóvenes y viejos, todos necesitamos consejos

603. La juventud es un estado del alma

Con independencia de la edad que se tenga, la ilusión por la vida no tiene porque desaparecer. Según Mateo Alemán: "La juventud no es un tiempo de la vida, es un estado del espíritu

604. La juventud tiene la fuerza y la senectud la prudencia (Correas)

605. No hay más bronce que años once, ni más lana que no saber que hay mañana

Se refiere a la fuerza y el vigor de la juventud, así como a la alegre vivencia de sus días, sin preocuparse del día de mañana.

606. No hay quince malos

En general se refiere a que la juventud no tiene defectos, o cuanto menos, a que se tiene más belleza y salud. También suele decirse, referido a las jovencitas:

607. *No hay quince años feos*

Porque a esa edad, todas tienen algun encanto.

La vejez

608. *A cana honradas, no hay puertas cerradas*

Por respeto de sus años, y más cuando le precede una vida digan y justa, el anciano es bien recibido en todas partes.

609. *Acudir al cuero* con albayalde*, que los años no se van de balde*

Con retoques y argucias, no logra pararse algo tan irremediable como el paso del tiempo, aunque este refrán recomienda hacer uso de ellos para, por lo menos, disimular sus estragos.

610. *Al buey viejo no le busques abrigo, porque él se va a lo verde y deja lo seco; y si verde no halla, lo seco apaña*

El buey, o el hombre, con la edad le viene la sabiduría y bien sabe arreglárselas en la vida en base a su experiencia.

Por cuero* se entiende la tez de la cara y el albayalde* era una antigua pasta blanca que se utilizaba como maquillaje.

611. *Al buey viejo, múdale de pajar y darte he el pellejo*

Las personas mayores no es bueno andarles con cambios, porque se acomodan mal a ellos, tanto si se trata de cambio de costumbres, como de lugar de residencia, comidas, etc.. ¡Al fin y al cabo, el hombre es un animal de hábitos que cuestan de mudar!

612. *A quien se casa viejo, o muerte o cuernos*

613. *A la vejez, viruelas*

Se aplica a los que llegando a esa edad, emprenden aventuras o actuaciones impropias, especialmente en asuntos frívolos o amorosos, quedando en ridículo. La referencia a las viruelas, es porque se trata de una enfermedad infantil.

614. *A la vejez, aladares de pez*

Refrán burlesco sobre los que no se resignan a envejecer y echan mano de artificios para parecer más jóvenes. Hace referencia directa a los viejos que se untaban los aladares, o sea las sienes, con pez para disimular las canas. Un refrán que complementa a éste, es:

615. *La cana engaña, el diente miente, la arruga no deja duda*

616. *A la vejez, se acorta el dormir y se alarga el gruñir*

Características muy comunes a todos los ancianos.

617. *A mis años llegarás, o la vida te costará*

Reprocha a aquellos que se burlan de los ancianos y de sus achaques, diciéndoles que ellos también los padecerán ¡si no mueren antes!

618. Al hombre mayor, hay que darle honor

En deferencia a su edad, a las personas mayores, hay que tratarlas con educación y respeto.

619. Al viejo no hay que preguntarle ¿cómo estás? sino ¿qué te duele? (Correas)

620. Arriba canas y abajo ganas

Ironía sobre las "viejos verdes" que suelen quedarse siempre con las ganas

621. Buey viejo, surco derecho

Porque sabe andar bien por la vida, ya conoce el camino y se siente lejos de las pasiones que atañen a la juventud.

622. Caballo viejo para cabalgar ; leña vieja para quemar; vino añejo para beber; amigos viejos para conversar y libros viejos para leer

No todo lo viejo ¡está acabado! Como nos dice este refrán, los años y la edad son buenos para muchas cosas porque les da sabor, consistencia y solera.

623. Canas son vejez, y no saber

La vejez no es, necesariamente, símbolo del saber. ¡ A veces, las canas sólo son canas!

624. *Con el tiempo viene la razón*

El paso de los años, enseña más que nada en la vida. Este refrán se emplea para perdonar los errores de juventud, porque a medida que uno madura, se aprende mucho.

625. *Contra tus mayores, no vayas con rencores*

Aconseja ser tolerantes con los ancianos, aunque se tenga razón, pensando en sus muchos años. También tiene el sentido de que es peligroso enfrentarse a los que tienen más poder o son nuestros superiores.

626. *Del viejo, el consejo*

Por su experiencia y por estar ya al margen de muchas pasiones, es sabio escuchar y hacer caso del consejo de los ancianos.

627. *El corazón y los ojos nunca son viejos*

Por muy mayor que uno sea, siempre podrá disfrutar con la contemplación de la belleza de la juventud y el corazón siempre puede albergar sentimientos de ternura y amor.

628. *El hombre anciano, hiere con el pie y señala con la mano*

Los años le han hecho listo y sagaz. (Correas)

629. *El que tuvo, retuvo y guardó para la vejez*

Se utiliza para señalar que algo se conserva de lo que se tuvo en el tiempo de la juventud: gracia, belleza, inteligencia. También se dice en alabanza a las personas que están bien conservadas.

630. El viejo que cura, cien años dura

En edad avanzada es conveniente extremar los cuidados de la salud, por ser cuando más problemas se presentan, y asegurarse así, larga vida.

631. Honra a los mayores y no desprecies a los menores

632. Hombre anciano, juicio sano

Este refrán, como otros muchos, nos dice que el hombre de edad, tiene buen entendimiento y sabiduría. De similar significado es:

633. Hombre viejo no necesita consejo

634. La vejez no viene sola

¡Cierto es! Viene acompañada de los muchos años, y a menudo, de muchos achaques también.

635. Los años no pasan en balde

Verdad irrefutable, que nos hace ver el paso del tiempo, nos va debilitando en nuestras capacidades

636. La misma vejez es una enfermedad

Además de las múltiples dolencias, la vejez es algo que no tiene cura posible.

637. Más sabe el diablo por viejo que por diablo

638. Manos ochentonas, manos temblonas

639. Más vale viejo asentado, que joven desatinado

640. *No hay ninguno tan viejo que no piense vivir otro año*

Las ganas de vivir, por muchos años que se tengan, siempre generan la esperanza de vivir un poco más.

641. *Quien no la corre de joven, la corre de viejo*

Aunque cada edad trae lo suyo, el que en tiempo de juventud no pudo divertirse, suele hacerlo en otro tiempo, aunque no sea el más oportuno.

642. *¿Qué es la vejez? Estornudar, toser y preguntar qué hora es*

Refleja, tanto los achaques, como el aburrimiento y la soledad que, con frecuencia, invade la ancianidad.

643. *Viejo a caballo, no doy por su vida dos chavos*

Porque su poca agilidad, ya le recomienda dejar de lado los ejercicios o las situaciones peligrosas para su integridad física.

644. *Vieja que baila. mucho polvo levanta*

Alude, en sentido directo, a que la vieja arrastra los pies. Se emplea para ironizar sobre las personas que hacen cosas impropias de su edad.

645. *Viejo que casa con mujer moza, o pronto cuernos o pronto losa, y si no las dos cosas*

Advierte de los peligros que conlleva este tipo de enlaces, porque es difícil que pueda satisfacer a su mujer. ¡Más fácil será que perezca en el intento!

646. *Viejo, viejiño, vuelve a ser niño*

Siempre se dice que la vejez es como la "segunda infancia" porque se vuelven caprichosos y obstinados como niños. También suele decirse:

647. *Una vez hombre y dos veces niño*

El casamiento

Es uno de los grandes acontecimientos en la vida del hombre y de la mujer, además de tener honda repercusión social.

En tiempos, los matrimonios servían de alianza entre reinos y pueblos. hacían y deshacían imperios, pero a nivel más prosaico, siempre ha supuesto un cambio de estado, con lo que ésto comporta de derechos y obligaciones, de adaptarse a una nueva situación que no siempre resulta fácil.

El refranero es pródigo en resaltar, de forma jocosa e incisiva, los muchos aspectos de este berenjenal que supone el casamiento. ¡No en vano se dice que es "como una fortaleza. Los de dentro quieren salir y los de fuera, quieren entrar"!

648. *A boda ni bautizado, no vayas sin ser llamado*

No conviene ser entrometido y presentarse donde no se le espera.

649. A buey viejo, cencerro nuevo

Recomienda al hombre mayor, tomar por mujer a una joven. Pero tiene otro sentido mucho más irónico, pues el cencerro nuevo, según una antigua costumbre, se colocaba al buey viejo pensando que, el nuevo sonido, le estimularía a trabajar más.

650. Adonde acaba el novio, empieza el marido

No es lo mismo el noviazgo que el matrimonio. En el primero, todo es más bonito y agradable. En lo segundo, la convivencia diaria, pone de manifiesto a cada uno tal cual es.

651. Antes barba blanca para tu hija, que muchacho de crencha partida

Es mejor casa a una hija con un hombre experimentado, que posiblemente a la experiencia unirá una economía resuelta, que con un muchacho excesivamente joven, al que le falten ambas cosas.

652. Antes de casar, tener casas en que morar, tierras que labrar y viñas que podar

Casarse con el porvenir asegurado, es un buen principio y augurio de felicidad para el matrimonio, porque las carencias y las necesidades generan muchas desavenencias.

653. Antes de que te cases, mira bien lo que haces

Aconseja, ante el matrimonio y ante otros asuntos importantes, meditar los pros y los contra, porque después es difícil echar marcha atrás.

654. *Bodas largas, barajas* nuevas*

Cuanto más largo es el noviazgo, más motivos surgen de discordia.

655. *Caída, casamiento y catarro, tres "ces" que mandan al viejo al cementerio*

656. *Casado descontento, siempre vive con tormento*

Indica la infelicidad y el desasosiego que invaden al que no es feliz en su matrimonio.

657. *Casarás a tu hijo, si quiere tu vecino*

Según son los vecinos de bien o mal intencionados para informar a los que vienen a pedir parecer de la hija (hijo) de su vecino y ponerles buena o mala fama. (Textual Correas)

658. *Casar, casar, suena bien y sabe mal*

El matrimonio, según ese refrán, ¡mejor parece de lo que es!

659. *Casar a una hija con dos yernos*

Por querer cumplir en dos partes, o en muchas, con una sola cosa. (Textual Correas)

660. *Cásate, así gozarás de los tres meses primeros y después desearás la vida de soltero*

*barajas por peleas y regañinas

661. *Casar chiquitos, andar rotitos y henchir la casa de bordoneritos**

Advierte de los peligros de casarse demasiado jóvenes, con la vida sin hacer, lo que genera escasez de dinero y tiene el problema añadido de llenarse de hijos a los que no se puede atender debidamente.

662. *Casar que bien, que mal*

Pone de manifiesto, que el estado natural del hombre y de la mujer, es el matrimonio, a la vez que censura a los que quieren casarse a toda costa.

663. *Casóse con gata, por amor de plata; gastóse la plata y quedóse la gata en casa*

Contra los matrimonios de interés.

664. *Cásate mancebo, no quiero casarme, más quiero ser libre que no cautivarme (Correas)*

665. *Casado te veas, molino*

Advertencia para los mozos inquietos, que andan de aquí para allá, sin formalizar ninguna relación.

665. *Casada y arrepentida y no a monja metida*

Encarece que es mejor un mal matrimonio que entrar en religión. También quiere indicar que de entre dos males, se elige el menor.

666. *Casado y arrepentido*

Además del sentido directo, indica que, habiendo hecho algo sin reflexión, cuando se da cuenta, ya no tiene remedio.

*bordoneritos = mendigos, vagabundos

667. *Casadita y con hijos te quiero ver, que soltera y curiosa cualquiera es*

Ironiza sobre la mujer después de casada, si será capaz de mantenerse atractiva y con aspecto cuidado. Antes, existía la creencia general de que la mujer, al casarse, con las responsabilidades del nuevo estado y la crianza de los hijos, se estropeaba sin remisión.

668. *Casar y compadrar cada uno con su igual*

Enseña que, tanto en el matrimonio, como en otros tipo de relaciones, debe uno mantenerse dentro de su esfera social, sin aspirar a más y sin hacerse de menos.

669. *Casarás y amansarás*

El matrimonio trae consigo tolerancia y sosiego, así como paciencia y comprensión para adaptarse el uno al otro. También señala que al tener pareja, se rehuyen o se alejan de las inquietudes y locuras de la juventud.

670. *Casarse una vez no es cordura; casarse dos es locura*

Refrán que reprende, con mordacidad, a los que se casan más de una vez. ¡Si ya es bastante complicado hacerlo en primeras nupcias, reincidir es locura!

671. *Casamiento y mortaja del cielo bajan*

El matrimonio y la muerte se presentan cuando uno menos se lo espera, demostrando que, ante determinados hechos, de nada sirven los propósitos y determinaciones humanas.

672. *Casado y bestia, con la cabeza abre la puerta*

Antiguamente, en familias pobres que no tenían servicio, era el marido el que llegaba a casa cargado y con las manos ocupadas, trayendo las viandas y provisiones que se consumían en el hogar.

673. *Cásate, verás, perderás sueño, nunca dormirás*

Por las muchas obligaciones y desvelos que trae consigo el matrimonio.

674. *Casamientos y cuchilladas, de prestos hechos y de prestos dadas*

Porque no haya descomponedores y se enfríe la cólera.

675. *Casar ruínes y habrá montaraces*

Cuando el matrimonio es entre personas de baja calidad moral, los hijos no pueden ser más que el reflejo de los padres.

676. *Casamiento y hadas malas, pronto son llegadas*

El matrimonio y los infortunios, llegan sin ser llamados, y, con frecuencia, demasiado pronto.

677. *Crece el huevo bien batido como la mujer con buen marido*

678. *De tales bodas, tales costras**

Según la posición económica de los novios, así es el convite. Tiene un segundo sentido que señala que, los que andan en malos pasos, no acaban bien.

*costras= torta hecha de huevos, azucar y pasta que se sirve con todo tipo de aves, frutas y legumbres

679. El matrimonio sólo tiene dos días buenos: el primero y el postrero

Como otros muchos refranes, se burla del matrimonio, diciéndonos que sólo se es feliz el primer día y el último, cuando acaba por cualquier circunstancia.

680. El que se casa, por todo pasa

El matrimonio acarrea muchos cuidados y obligaciones, así como grandes dosis de tolerancia para hacer posible la convivencia.

681. El melón y el casamiento ha de ser de acertamiento

Atinar en estas dos materias, suele ser más fruto de la casualidad y de la suerte, que de la habilidad o la sabiduría..

682. En la boda, quien menos come es la novia

Muestra que los anfitriones, tanto de bodas como de otras recepciones, por atender a los invitados, son los que menos disfrutan del convite.

683. Ese es el de la boda; el que duerme con la novia

Se dice para demostrar que una cosa es de una evidencia total.

684. Esto de mi casamiento es cosa de cuento: cuanto más se trata, más se desbarata

La demasiada precaución en los negocios, suele malograrlos.

685. Hoy casado, mañana cansado

En el mismo sentido de otros tantos refranes, insiste en la idea de que el matrimonio, con su rutina, cansa y aburre.

686. La casada y la ensalada, dos bocados y dejalla

Aconseja que los amores con mujeres casadas, sean breves por los peligros que éstos representan.

687. Lo que no viene a la boda, no viene a toda hora

Da a entender que lo que prometen los suegros, si no se cumple antes de la boda, es difícil conseguirlo después.

688. Marido rico y necio, no tiene precio

Encarece lo provechoso que es para la mujer, que el marido sea rico y tonto, porque así ella campará a sus anchas.

689. Marido bueno, viva; y malo, nunca se muera

Tener marido, por lo menos hace años, era amparo y honra para la mujer, y por malo que fuera, se le consideraba mejor que la viudez.

690. Matrimonio ni señorío no quieren furia ni brío

En ambas situaciones, se ha de saber tener paciencia y tratar de ver las cosas con ecuanimidad y sin arrebatos.

691. Madre, casarme quiero, que ya sé freír un huevo

Ironiza sobre las jovencitas que ya están pensando en casarse, cuando aun están "verdes" para ello.

692. Ni casamiento sin engaño, ni viudo sin apaño

693. Ni boda pobre ni mortuorio rico

A la hora de casar, se ponderan más las riquezas que se poseen de lo que son en realidad, y a la hora de la muerte, se disminuyen por aquello de la herencia.

694. No hay boda sin doña Toda

Refrán, de tono burlesco, sobre aquellos que se presentan en todas las fiestas y los saraos.

695. No se hace la boda con hongos*, sino con buenos bollos redondos

Los negocios importantes, no se hacen partiendo de cosas baladíes. *Los hongos, se supone que no cuestan nada pues son silvestres.

696. Para torear y para casarse, hay que arrimarse

697. Quien bien baila, de boda en boda se anda

El que tiene una habilidad, quiere manifestarla a todos, o es bien recibido en todas partes.

698. Quien levanta casa y a hija casa, su bolsa arrasa

Porque ambas cosas, conllevan un gasto grande de dinero, que dejan temblando los ahorros.

699. Quien mal casa, tarde enviuda

Al que no es feliz en su matrimonio, éste se le hace eterno. Señala también que, las situaciones adversas, parece que no vayan a terminar nunca.

670. *Quien tiene mujer, tiene lo que ha de menester*

Para el hombre, la compañía de la mujer es importantísima, porque atiende y cubre todas sus necesidades.

671. *Sigamos solteros, que con las casadas nos apañaremos*

Señala, tanto el rechazo al matrimonio, como lo frecuente que suele ser la infidelidad entre los casados.

El hombre en la vida
y consejos útiles para vivirla

"Lo que fue, es y será"

La naturaleza humana, tiene un fondo inmutable que permanece a través de los siglos. La bondad y la maldad, las ambiciones y deseos, la osadía o el miedo, la vanidad o la modestia y tantas otras características del ser humano, pueden cambiar sus formas según los tiempos, pero no cambian en su fondo. Es por ello que nuestros refranes están siempre a la última, porque reflejan lo que fuimos, lo que somos y lo que seremos o serán las generaciones futuras.

Veámos que nos dicen del hombre cómo tal, y qué consejos nos dan para nuestro vivir de cada día. ¡No en vano: *"El que se viere solo y desfavorecido, aconséjese de los refranes antiguos"*!

672. *Al que mal hace, nunca le falta achaque*
El que obra mal, siempre encuentra alguna justificación para sus acciones.

673. *A río revuelto, ganancia de pescadores*
En momentos de turbulencias y desordenes, hay quien es capaz se sacar provecho por muy adversas que sean las circunstancias.

674. *A cada uno le place aquello con lo que nace*
Todos nos sentimos inclinados, de forma natural, por donde hemos nacido, o donde por hábito, estamos enraízados. También destaca que las costumbres de infancia, lo que vivimos en nuestra juventud, tiene gran influencia a lo largo de nuestra vida.

675. *Aunque la mona se vista de seda, mona se queda*
No es tan fácil enmascarar la propia naturaleza porque tarde o temprano, acaba por manifestarse. Se aplica, en un segundo sentido, a los nuevos ricos y a todos aquellos que quieren ocultar sus orígenes, mediante acciones o vestimentas que disimulen lo que realmente son o el mundo al que pertenecen.

676. *Aunque vestido de lana, no soy borrego*
No hay que fiarse de las apariencias externas, porque, muchas veces, llevan a hacer juicios de valor erróneos.

677. *Al bien buscallo y al mal esperallo*

678. *Al bien, bien y al mal, yesca y pedernal**
El hombre ha de corresponder al bien con el bien, pero al malvado, según este refrán, hay que perseguirlo por todos los medios.
*Yesca y pedernal por a sangre y fuego.

679. Al buen consolador no le duele la cabeza, ni al buen negociador las piernas

Cuando uno está bien predispuesto para hacer aquello que es su deber, no tiene pereza ni pone excusas para no llevarlo a término.

680. Al hombre bueno, no le busques abolengo

Porque es suficiente su propia bondad, sin necesitar ni alcurnias ni estirpes preclaras.

681. A lo que puedes sólo, no esperes a otro

La vida nos enseña que es mejor confiar y actuar con nuestras propias fuerzas, que no tener que depender de la ayuda ajena.

682. Cada cual es como Dios le ha hecho, y un poquito peor que él se ha vuelto

Este refrán nos enseña a aceptarnos tal como somos, con nuestros defectos y virtudes, aunque bien cierto es, que, por nuestra cuenta, siempre es más fácil volvernos un poquito peores que mejores.

683. Cada maestrillo tiene su librillo

Todos tenemos nuestras propias ideas sobre nuestros asuntos y nuestras costumbres o modos de obrar para encauzarlos y resolverlos.

684. Cual pregunta harás, tal respuesta habrás

685. Cree el ladrón que todos son de su condición

Se aplica, con ironía, a aquellos que piensan que los demás harían lo mismo que ellos en situaciones determinadas, o piensan que son iguales en sus mezquindades y flaquezas.

686. *Cuando no pudieres trabajar, lo dejes y cuando pudieres trabajar no lo dejes, aun que no te den lo que te mereces*
Además de su sentido directo, significa que hay que aprovechar las oportunidades que se presenten aunque no sean las mejores.

687. *Cuanto sabes no dirás, cuanto veas no juzgarás, si quieres vivir en paz*
Sabio consejo que hacer valer la prudencia para una vida libre de sobresaltos.

688. *Cuando el vil enriquece no conoce hermano ni pariente*
Es harto frecuente en nuestra sociedad, y no son pocos los que al mejorar de estatus social, no quieren oír ni hablar de su extracción humilde.

689. *Cuando estamos buenos, damos consejos a los enfermos*

690. *Cuando estés en enojo, acuérdate de que puede venir la paz. Cuando estés en paz, acuérdate que puede venir el enojo*

691. *Cuanto la vergüenza es menos, tanto duelen menos los yerros*
Aquellos que son unos inconsciente o que les preocupan poco sus acciones, tampoco suelen dolerse de sus equivocaciones o del daño que provocan.

692. *Cuenta y razón, sustenta amistad y unión*

693. *Cuentas son las que se llevan que no palabras que se quiebran*

Este refrán, smiliar a "obras son amores y no buenas razones", pone de manifiesto que lo que vale es lo que se hace y no lo que se van en palabras, por buenas y lisonjeras que éstas sean.

694. *Cuidados ajenos, matan al hombre bueno*

Porque su preocupación y bondad hacia los demás, puede complicarle la vida muy mucho.

695. *Dando gracias por los agravios, negocian los hombres sabios*

696. *Dando la gotera, hace señal en la piedra*

No hay trabajo ni sueño que no se puedan cumplir, cuando existe tenacidad y empeño en lograrlo.

697. *Daría yo un ojo porque a mi enemigo le sacasen otro*

Expresa el deseo de venganza que es tan común en los humanos.

698. *De aquellos polvos, vinieron estos lodos*

Indica que, determinadas acciones, en especial cuando éstas no son buenas o acertadas, sólo pueden traer consecuencias funestas.

699. *Debajo del buen sayo, está en hombre malo*

Advierte, una vez más, del peligro de confiar en las apariencias.

700. De ingratos está lleno el infierno y para agraciados*, abierto el cielo
Pondera la gratitud y condena a los que no saben agradecer el bien que reciben.

701. Dichoso el varón que escarmienta en cabeza ajena y en la suya non

702. Dime con quién andas, direte de lo que hablas, o tus mañas
Sobre la importancia de saber elegir las compañías y las relaciones.

703. Dondequiera hay buenos y malos

704. Donde una puerta se cierra, otra se abre
Expresa que la vida hay que vivirla con esperanza e ilusión.

705. El agraviado, con palabras dulces ha ser calmado

706. El agujero llama al ladrón
Es el equivalente a "quita la ocasión y quitarás el pecado". Hay muchas situaciones que nos hacen caer en la tentación, que de no presentarse o de no buscarlas, podrían evitarnos el obrar mal.

*agraciados= agradecidos

707. *El algo hace al hidalgo, que la sangre toda es bermeja*

El hombre ha de valorarse por sus actos y buenas acciones, dejando a un lado los blasones o herencias de linajes. ¡Al fin y al cabo, todos nacemos igual, y toda la sangre, por muy noble que sea, es roja!

708. *El bien acuchillado, del herido se compadece*

Porque lo ha sufrido él primero, en sus propias carnes.

709. *El bien no es conocido hasta que es perdido*

¡Cuán frecuente es, apreciar lo que se pierde, no disfrutarlo cuando se tiene!

710. *El bobo si es callado, por sesudo es reputado*

Al no hablar, no dice tonterías y se le tiene por discreto.

711. *El buen hombre goza el hurto*

Curioso refrán que pone de manifiesto que nadie se cree del hombre con buena reputación, cosa alguna que sea mala..

712. *El buen entendedor, de pocas palabras tiene pro**

Equivale al conocidísimo refrán de "a buen entendedor, pocas palabras bastan"

713. *El buen ladrón en la casa, primero mira la salida que la entrada*

Por precaución y posibilidad de huída. Aconseja ser astutos en la vida y tener siempre las espaldas cubiertas.

*En Cataluña y Aragón dicen "prou" por bastante y suficiente.

714. *El buen nombre vale más que toda la riqueza del hombre*

715. *El bueno, hace bueno*
Porque cada uno obra según es.

716. *El buen soldado, sácalo del arado*
El trabajador del campo, está más acostumbrado a la austeridad y al sufrimiento y por lo tanto, más preparado para soportar la guerra. Los romanos solían elegir para capitanes, y aun para dictadores, a gentes de la labranza.

717. *El cobarde, de su sombra tiene miedo*
A las personas medrosas, todo les infunde pavor, aunque se trate de cosas nímias o que no tengan nada de espantosas.

718. *El consejo es fácil*
En el sentido de que es más fácil darlo que aceptarlo.

719. *El cuerdo nunca se satisface de lo que hace*
Contra los que se envanecen de sus obras. Los sensatos siempre piensan que se podrían mejorar o que existe alguien que puede hacerlo mejor.

720. *El forzado acometer, hace muchas veces al hombre vencer*
La osadía y el arriesgarse, con frecuencia se ven recompensados por éxito.

721. El esfuerzo en la desesperación, crece y dobla el corazón

En situaciones extremas, el hombre suele crecerse y tomar acciones y decisiones de fuerza y valor, tal vez impensadas.

722. El gozo, comunicándolo crece

El poder compartir la alegría la hace mayor y más fecunda..

723. El hacer bien, nunca se pierde

Porque siempre se ayuda a alguien y tarde o temprano, se obtiene justa recompensa..

724. El mal entra a brazadas* y sale a pulgaradas*

Nos dice lo fácil que entra lo malo, y en qué cantidad, y lo que tarda en desaparecer de nuestras vidas

725. El mal tiene cohorte y el bien no hay quien lo soporte

726. El mandar no quiere par

El ansia de poder no gusta de tener competidores y mucho menos, compartir ese poder.

727. El más hermoso, tiene un gargajo en el hombro

Aun los que se creen más elegantes, gentiles o listos, tienen su mácula y su defecto.

728. El más ruín del apellido, porfía más por ser oído

El más inferior, suele ser el que más alborota, el que más presume o el que más quiere hacerse notar.

*Brazada es la medida de los brazos extendidos y pulgarada, es el tamaño del ancho de dedo pulgar.

729. *El más ruín cerdo, revuelve la pocilga*

Por insignificante o maleja que pueda parecer una situación o una persona, si se lo propone, siempre puede causar grandes estragos.

730. *El menosprecio mata a la gente*

El sentir el desdén y la falta de consideración, es algo que daña, profundamente, los sentimientos.

731. *El mejor nadar, es guardar la ropa*

Por ser cautelosos y prudentes.

732. *El mentir no tiene alcabala* y por eso lo usan todos tanto noramala*

Como por mentir no se paga, todos lo hacen a diestro y siniestro.

733. *El mucho hablar es malo, y el mucho callar no es provechoso*

Tan malo es estar todo el día dándole a la lengua, como callárselo todo, sin comunicarse con nadie, sin compartir las alegrías y pesares.

734. *El mundo es a modo de escala:, unos suben y otros bajan*

Y siempre será así. Mientras algunos prosperan y suben peldaños en la sociedad, otras descienden por causas económicas o morales.

735. *El mundo es redondo y rueda; así lo hemos de dejar*

Verdad inexorable que nos viene a decir que, las cosas y la vida son como son, y que por mucho que nos empeñemos, no siempre se pueden cambiar.

* alcabala= palabra árabe que significa impuesto

736. El prudente todo lo ha de mirar, antes de las armas tomar

737. El que anda sin malicia y sin rencor, anda sin temor

738. El que a su enemigo popa, a sus manos muere
El que da la espalda a su enemigo, o no toma las debidas precauciones, ¡es presa fácil!

739 El que cría cebón tiene qué comer y qué morder; el que se echa en su cama, se arolla y duerme, no tiene nada
Contra los perezosos.

740 El que comió la carne, que roya el güeso
De sentido parecido a "el que la haga que la pague", nos viene a decir que hay que atenerse a las consecuencias o que el que disfruto de lo bueno se atenga también a lo malo.

741. El que da porque le den, engañado debe ser
De la ingratitud humana, tan común, no debe esperarse gran cosa y es tontería esperar ser correspondido.

742. El que de la culebra está mordido, de la sombra se espanta

743. El que dice mal de la yegua, ese la merca
Para adquirir algo, se suele menospreciar o sacar defectos, con el fin de abaratar su precio y conseguirlo de forma más conveniente.

744. El que esperar puede, alcanza cuanto quiere
La paciencia es una de las llaves del éxito.

745 El que está cubierto cuando llueve, es bien loco si se mueve; y si se mueve y se moja, es bien loco si se enoja

746. El que hace lo que no debe, sucédele lo que no cree
Cuando no se obra con rectitud, por maldad o desconocimiento, las consecuencias son imprevisibles.

747. El que la ley establece, guardarla debe
Por lo menos, para servir de ejemplo.

748. El que no entra a nadar, no se ahoga en el mar
Cuando uno no se pone en peligro, es raro que le suceda cosa mala. Este refrán, sin embargo, tiene otro en sentido opuesto:

749. El que no se arriesga, no muere de hartura

750. El que no quisiere pasar trabajo en este mundo, no nazca en él
Por muy placentera que pueda resultar la vida, siempre se presentan preocupaciones y disgustos que no se pueden evitar, y que no se suplen ni con el dinero ni con la posición social. ¡Todos los que estamos en este, bien llamado "valle de lágrimas", tenemos nuestra cuota de sufrimiento asignada!

751. *El que puede y no quiere, cuando querrá, no podrá*

752. *El que no está acostumbrado a bragas, las costuras le hacen llagas*
Aunque se trate de cosas buenas, el que no tiene hábito de ellas, no le gusta o le molestan. Se utiliza como refrán burlesco.

753. *El que va a la bodega y no bebe, ¡oh que vez se pierde!*
Porque desaprovecha las buenas ocasiones,

754. *El que viere las barbas de su vecino pelar, ponga las suyas a remojar*

755. *El ser señor no es saber; más saberlo ser*

756. *En cada legua, hay un pedazo de mal camino*

757. *Entre las espinas, es la azucena*
Encarece la virtud del que es bueno entre malos. Indica, también, que en los ambientes más desastrados, pueden hallarse la belleza y la bondad.

758. *En tres cosas se conoce la cordura de un hombre: en gobernar su casa, en refrenar su ira, en escribir una carta*

759. *Entre tanto el lobo caga, la oveja se escapa*
Hay que estar atento a las ocasiones, porque a la menor distracción, éstas vuelan, o son aprovechadas por el que está ojo avizor.

760 Escupí al cielo, cayóme en la cara

El que va contra los poderosos, tiene muchas posibilidades de que sus acciones se vuelvan contra él.

761. Es de justa razón, engañar al engañador

Para que pruebe su propia medicina.

762. Hablando se saben las cosas

Cuando hablando con otros se informa uno de lo que desea y no sabia. (Textual Correas)

763. Habla poco, escucha asaz y no errarás

764. Habla poco y bien y tenerte han por alguien

Porque parece sabio y discreto.

765. Hablar de la virtud es poco, hacer la obra es el todo

766. Haced lo que yo diga y no hagáis lo que yo hago

El que da muchos consejos o reconviene a los demás, sin hacer él nada útil.

767. Hacer y callar

Esto aconsejan los que son cautos y experimentados.

768. Hacienda, tu amo te vea o sino que te venda

Hay que atender y preocuparse de los negocios propios, porque cuando se dejan en manos ajenas, difícil será que prosperen ya que es evidente no que se cuidan con el mismo interés.

769. *Harto es necio y loco, quien vacía su cuerpo por henchir otro*

Nos viene a decir que la caridad bien entendida , empieza por uno mismo.

770. *Haz vivo lo que quieras haber hecho cuando mueras*

771. *Hecha la ley, hecha la trampa*

772. *Hombre apercibido, anda seguro el camino*

El que se prepara bien, es prudente y cuidadoso, por lo que puede andar seguro en la vida .

773. *Hombre al que muchos temen, a muchos ha de temer*

El temido, sin duda, es porque ejerce el poder de forma despótica, lo que engendra el odio en los demás y eso hará que no pueda vivir tranquilo.

774. *Hombre de seso, ahorra tiempo*

Porque todos sabemos que el tiempo es oro, y porque es lo único que no se puede recuperar.

775. *Hombre que apetece soledad, o tiene mucho de Dios, o de bestia brutal*

Este refrán nos indica que el hombre es un ser social. El que prefiere estar sólo, o es un eremita que se dedica a la contemplación y a la oración, o se trata de alguien que aborrece a sus semejantes.

776. *Hombre señalado, o muy bueno o muy malo*
Cuando todos hablan de él, es por una de estas dos razones.

777. *Honra del soberbio en deshonra torna presto*

778. *Honra y vidrio, no tienen más que un golpecito*
Ambos son igual de frágiles.

779. *Honra al bueno porque te honre y al malo porque no te deshonre*

780. *Hoy en la vida, mañana en fosa y mortaja; bienaventurado el cuerpo que por su ánima trabaja*
Que la vida es breve, es algo que todos sabemos, y también sabemos que, en muchas ocasiones vivimos como si no fuéramos a morir nunca. Este refrán nos recuerda que no es así.

781. *Huí de la ceniza y caí en las brasas*
Por escapar de un mal, con frecuencia se cae en otro peor.

782. *Júntase los hombres, más no los montes*
Los hombres gustan de la relación con los demás. Los que prefieren estar solos y rehuyen la compañía de sus semejantes, se trata de gente extraña o de dudosas costumbres.

783. *La admiración es hija de la ignorancia*
Por el gran asombro que genera lo desconocido, en especial entre gentes de poca cultura.

784. La ciencia quiere prudencia y experiencia

785. La diligencia aprovecha más que la ciencia

La voluntad y el interés por hacer las cosas, resultan, a menudo, más provechosos que toda la ciencia del mundo.

786. La experiencia es la madre de la ciencia

787. La ingratitud seca la fuente de la piedad

788. La mentira tiene las piernas cortas

Es fácil descubrir al mentiroso, por eso se dice también, que se alcanza primero a un mentiroso que a un cojo.

789. La razón no quiere fuerza, ni la fuerza razón

790. La razón tiene gran fuerza

Podríamos decir que la tiene toda, pero en este mundo, con demasiada frecuencia, vence la fuerza a la razón.

791. Lo bien hecho, bien parece

El trabajo bien rematado y cumplido es lo que a todos agrada.

792. Lo bueno aborrece y lo malo apetece

La bondad y el buen hacer suponen sacrificios y renuncias por lo que son más los que se inclinan a los vicios y los placeres que agradan mucho más.

793. *Loco es el hombre que sus prisiones ama aunque sean de oro y plata*

Porque el bien más preciado es la libertad.

794. *Loco en la frente lleva el cuerno; el cuerdo en el seno*

El loco o el indiscreto, a todos cuenta su mal. El sensato, lo sufre sobre el corazón y lo lleva en silencio.

795. *Lo que con ira se hace, desplace*

796. *Lo que fue duro de pasar, pasado es dulce de membrar**

Pasados los tragos de amargos, traerlos a la memoria, a veces, hasta gusta y consuela comparándolo con el bien presente.

797. *Lo que la fuerza no puede, ingenio lo vence*

798. *Lo que me ha de reñir por la mentira, ríñamelo por la verdad, que más vale decilla y confesar*

A la postre, siempre es mejor andar con la verdad por delante.

799. *Lo que mucho se desea, no se cree aunque se vea*

Cuando se desea algo con mucha intensidad, parece mentira el que se haya conseguido, aun cuando ya se tenga en las manos.

800. *Lo que no acontece en un año, acontece en un rato*

Porque la vida es imprevisible.

*membrar= recordar

801. Lo que no quieras que se sepa, no lo digas a nadie

802. Lo que nunca se comienza, nunca se acaba

803. Lo que los ojos no ven, el corazón no desea
Es difícil desear lo que no se conoce, o sufrir por algo de lo que no se tiene constancia.

804. Lo que te cubre, eso te descubre
De la importancia del aspecto físico y de la vestimenta.

805. Los astutos y doblados viven la mitad del año con arte y engaño; y la otra mitad con engaño y arte

806. Los delitos llevan a las espaldas los castigos
El que mal hace, a la larga o a la corta, tiene el castigo derivado de sus propias acciones. Es eso tan común que decimos : en el pecado llevar la penitencia.

807. Los duelos con pan son menos
Este popularísimo refrán, señala una gran verdad, y es que cualquier tipo de pesar, se soporta mejor cuando hay posibles.

808. Mala cosa, nunca muere
Parece que las personas, al igual que las situaciones, malas o adversas duran una eternidad y perviven pese a quien pese. Este refrán se dice en otros términos muy parecidos: "Mala hierba nunca muere" o "Bicho malo nunca muere"

808. *Mal ajeno pone en consuelo de no verse en lo mesmo*

809. *Mando a mi gato y mi gato manda al rabo*
De cómo, cada cual, va mandando donde puede o sobre quien puede.

810. *Manos besa el hombre que querría ver cortadas*
Muchas veces, las circunstancias de la vida, obligan a doblegarse y rendir pleitesía a personajes a los que se detesta.

811. *Manos duchas, comen truchas*
El que es habilidoso, siempre tiene qué comer y cómo valerse.

811. *Más vale aprender viejo que morir necio*

812. *Más vale bien de lejos que mal de cerca*

813. *Más vale de balde hacer, que de balde ser*
Contra la ociosidad y los perezosos.

814. *Más vale hombre que gane hacienda, que hacienda que gane hombre sólo de nombre*

815. *Más vale lamiendo que mordiendo*
Para todo tipo de negocios y para la vida en general, es mejor andar con halagos y buenas palabras para conseguir lo que se desea, que intentar hacerlo por las bravas.

816. Más vale mal concierto que buen pleito

Por los muchos recovecos que tiene la justicia y las muchas preocupaciones que ocasionan los pleitos, amén del dinero que en ellos se va.

817. Más vale ser cabeza de ratón que cola de león

Nos indica que es mejor ser lo más importante de algo pequeño, que no ser lo menor de algo grande. No obstante, también tiene su opuesto: "Más vale ser cola de león que cabeza de ratón.

818. Más vale color en cara que mancilla en corazón

Ante las situaciones de la vida, por timidez o por quedar bien, muchas veces se callan opiniones que deberían ser dichas y por evitar la vergüenza, son causa de pesar y descontento.

819. Mejor es que digan aquí huyó fulano que aquí lo mataron

Es de cuerdos y sensatos guardarse y huir del peligro si la ocasión lo requiere.

820. Mucha desorden trae mucho orden

Cuando se producen grandes alborotos o revoluciones, para reprimirlos y encauzarlos, las medidas son tajantes y duras y producen, con frecuencia, ¡demasiado orden!

821. Mucho más se desea lo que se veda

Lo prohibido tiene un encanto especial, que atrae más que lo permitido.

822. *Nace cada criatura, según se dice, con su ventura*

Este refrán nos indica que la naturaleza dota a cada ser vivo de algo bueno y provechoso, para si mismo o para los demás.

823. *Nadie diga de este agua no beberá*

Lo que la vida nos puede traer, es algo que no se sabe, y aunque, a priori, parezca que no vamos a hacer ésto o aquello, no son pocas las veces que actuamos como pensábamos que no íbamos a hacerlo nunca.

824. *Nadie puede servir a dos amos y contentarlos a entrambos*

825. *Necios y porfiados hacen ricos a los letrados*

Unos por desconocimiento y otros por litigantes, andan siempre en pleitos y favorecen con ello, las bolsas de los abogados.

826. *Ni el envidioso medró, ni quien cabe él moró*

No es bueno estar cerca de un envidioso, porque la envidia es mala consejera. Reconcome el ánimo de quien la sufre, le amarga la vida y complica la de los envidiados.

827. *Ninguno es obligado a hacer más de lo que sabe y puede*

828. *Ninguno está contento con su suerte*

Parece que es condición del ser humano, anhelar lo que no posee. Los pobres quieren ser ricos, los ricos, más ricos aún, los humildes, poderosos y los poderosos, eternizarse en el poder... ¡y así va el mundo!

829. *Ninguno ve el arguero en su ojo mesmo y vele en del compañero*

A todos nos resulta muy fácil advertir y criticar los defectos de los demás, mientras que no vemos los nuestros, aunque sean bastante más notorios.

830. *Ni río sin vado, ni linaje sin malo*

Todos los ríos tienen algun lugar por donde se pueden cruzar. De igual forma, por muy ilustre que sea la familia, siempre hay algun miembro que sale torcido. ¡Es lo que conocemos como la "oveja negra"!

831. *Ni vayas contra tu ley ni contra tu rey*

Porque es la forma más segura de hacerse acreedor de castigos y penas.

832. *No alabes hasta que pruebes*

Para hacerlo con conocimiento de causa .

833. *No andes con soberbia sobre la tierra, porque serás el primero que caigas bajo ella*

834. *No basta comenzar bien, ni enmediar bien, sino se acaba bien*

El final es lo que cuenta. Por muy bien que se lleve un negocio o un trato, sino acaba de buena manera, de nada ha servido todo lo demás.

835. No es tan fiero el león como lo pintan
Se dice con ironía, de los que se pavonean de ser los más atrevidos y valientes.

836. No hagas bien al malo, y no te dará mal pago

837. No hay cosa honesta que provechosa no sea.

838. No hay nublado que dure un año
Por muy mal que se presente el panorama, tarde o temprano, escampa y mejora.

839. No hay peor sordo que el que no quiere oír

840. No hay vida sin muerte ni placer sin pesar

841. No pidas peras al olmo que no las lleva
Se emplea para decir que no hay que esperar determinadas cosas de quien tiene una imposibilidad absoluta de darlas.

842. No sabe mandar aquel que no ha sido mandado
Porque ha aprendido y sabe lo que debe hacer ya que lo ha experimentado en si mismo.

843. No se puede repicar y andar en la procesión
Difícil es atender, a la vez, a dos quehaceres, que además sean dispares.

844. No se toman truchas a manos enjutas
Para conseguir lo que se desea, hay que arriesgarse

845. No te metas en contienda y no te quebrarán la cabeza

846. Nunca hagas a tu enemigo, de tu mal testigo
Ya que se alegrará y se cebará en ello.

847. Nunca es tarde para hacer bien, haz hoy lo que no hiciste ayer

848. Oír, ver y callar y preguntado, decir la verdad
Cuatro grandes virtudes que todos deberíamos llevar a la práctica.

849. Onza de oro y libra de estado
Contra los fantasiosos y vanidosos, que sin tener un real, quieren aparentar riqueza, gastándose más de lo que pueden.

850. Oro y miel, donde están parecen bien
Lo bueno y lo dulce, gustan a todos en todo lugar.

851. Oye sus defectos quien no calla los ajenos

852. Paciencia y sufrimiento es madre de honra y padre del aumento

853. Pajarico que escuche el reclamo, escucha su daño
Suele suceder que, atraídos por algún señuelo que nos parece atractivo, caemos en situaciones comprometidas o peligrosas.

854. *Palabra de boca, piedra de honda*

Las palabras, según cuáles y según cómo se dicen, puede ser tan dañinas o herir tanto, como una pedrada tirada con intención.

855. *Palabras de buen comedimiento, no obligan y dan contento*

El ser amables y educados, nada cuesta, y granjean la simpatía y la amistad de los demás.

856. *Palabras de santo y uñas de gato*

Contra los lisonjeros o santurrones, que dicen buenas palabras para luego herir y arañar con las obras.

857. *Para mi no puedo y para mis comadres hilo*

Los que no atienden a su casa o sus negocios y se ocupan de los ajenos.

858. *Para próspera vida, arte, orden y medida*

859.. *Para quien es mi madre, basta mi padre*

Nos viene a decir eso tan conocido de tal para cual.

860. *Peligro pasado, voto olvidado*

Cuando se está en un apuro, hace mil votos y mil buenos propósitos con tal de salir de él. Pero cuando éste pasa, se olvida el susto y las buenas intenciones.

861. *Peligro que no se teme, más presto viene*

Porque no se ponen los medios para evitarlo.

862. *Pereza es madre de pobreza*

863. *Pereza no lava cabeza, y si la lava, no la peina*

864. *Perro del hortelano, que ni come ni deja comer*
Sobre los que todo lo enredan y contra los envidiosos. Ni ellos hacen nada, ni dejan hacer o lo que no poseen ellos, tampoco quieren que lo tengan los demás.

865. *Piedra y palabra no se recoge después de echada*
Hay que tener cuidado con lo que se dice y evitar la maledicencia, porque lo dicho, dicho queda.

866. *Pintar como querer, matar moros contra la pared*
La realidad suele ser bien distinta de cómo se presenta, en especial cuando la cuenta o la pinta, el que le gusta presumir y alardear.

867. *Poca hiel, hace amarga mucha miel*
De cómo unos pocos malos, pueden estropear a muchos buenos.

868. *Por mucho madrugar, no amanece más temprano*
Representa los estorbos que se ocasionan por las muchas prisas, con lo que sucede que, a más prisas, más vagar. Reprende, también, a los muy acelerados y de poco reposo. (Textual Correas)

869. *Prudencia, el que la tiene, muchos males previene*

870. *Quién alcanza lo que pretende, a pesar de su contrario, pierde el rencor que tenía con él, en gran parte*

871. Quien hace lo que quiere, no hace lo que debe

872. Quién malas mañas ha, tarde o nunca las perderá
El que, por su natural, tiene malas inclinaciones, es difícil que logre enderezarse.

873. Quién manda, no ruega
¡Porque ordena!

874. Quién pregunta no yerra, si la pregunta no es necia
Es la mejor forma de informarse y de abandonar la ignorancia, siempre que se pregunten cosas razonables.

875. Quién todo lo abarca, poco ata
El que quiere estar en todo, o meterse a muchos negocios, es imposible que pueda ahondar en ninguno.

876. Quién tiene oficio, tiene beneficio, y es refrán cierto y muy bueno, pues dentro de mi seno, conozco que hace servicio (Textual Correas)

877 Quién teme a la muerte, no goza la vida

878. Recibir es mala liga; que el que toma a dar se obliga
Porque hay que corresponder.

879. Refrán es muy antiguo que es gran mal el mal vecino, y más si es de tu mismo oficio
Tener un mal vecino, complica y amarga la vida, y si encima, es del mismo oficio, supone que hará una competencia descarada y desleal.

880. Renegad del hombre que va royendo hasta el nombre

881. Reniego de bacín de oro en que se ha de escupir sangre
Que dignidades penosas, no se han de apetecer (textual Correas)

882. Reniego de plática que acaba en daca
Sobre los que hacen arengas o sermones y que acaban pidiendo,dado o prestado.

883. Reprende las vidas ajenas con tu ejemplo, no con tu entendimiento
Si se quiere reñir o criticar a los demás, hay que hacerlo desde el propio ejemplo de rectitud, no de boquilla. No en vano el ejemplo arrastra.

884. Riamos un poco, riamos, que no ha de faltar hora en que muramos
Hay que aprovechar los momentos buenos de la vida, porque los malos, inexorablemente, ya llegarán.

885. Ruín es el rico avariento, más peor es el pobre soberbio

886. Ruín vendrá que bueno me hará
A veces, parece que una situación o una persona es mala, pero siempre puede venir algo peor, que lo haga bueno o menos malo.

887. *Saber lo que basta*

Contra los que que se las dan de perspicaces y agudos, mientras no dicen más que tonterías.

888. *Sabe traer el agua a su molino*

Se aplica a los que son hábiles en tratos y negocios y siempre consiguen que sean provechosos para ellos.

889. *Sacará polvo de debajo del agua*

Se dice de los que son muy diligentes.

890. *Se entiende que quien rompe se remiende; y quien peca que se enmiende; que pague quien debe*

Porque son cosas de razón.

891. *Siembra obras buenas y cogerás frutas dellas*

892. *Siervo de otro se hace, quien diz su secreto a quien no lo sabe*

Al confesar el secreto, necesariamente, se pone en manos del que lo conoce, que puede revelarlo en cuanto le parezca.

893. *Si hubieres de menester a alguno, bésale el culo; si él te hubiere de menester, bésete él*

894. *Si la envidia fuera tiña, qué de tiñosos habría*

895. *Si la lengua erró, el corazón no*

Este refrán nos encarece que hay que tener en cuenta las buenas intenciones, aunque algunas veces no salgan las cosas tan bien como nos lo proponemos.

986. *Si la locura fueran dolores, en cada casa se darían voces*

Y es que, en cada casa o en cada familia, hay alguien que no está en sus cabales.

987. *Si no decís la verdad es vileza; si la decís, quebraros han la cabeza*

Es bien cierto que decir la verdad, acarrea no pocas complicaciones.

988. *Sin romper el jubón, herir el corazón con mala razón*

Abunda en la idea de qué las malas palabras hieren como una cuchillada, aunque no rompan la ropa.

989. *Si quieres hablando no errar, primero pensar que hablar*

990. *Si quieres ser bien servido, sírvete a ti mismo*

991. *Somos arrieros y en el camino nos encontraremos*

Se dice en sentido irónico, porque la vida trae muchas ocasiones de desquitarnos de los agravios y ofensas que nos hayan inflingido.

992. *Súfrase quien penas tiene, que un tiempo tras otro viene*

Porque, con el tiempo, las penas pasarán ya que, siempre, después de las amarguras, vienen tiempos de bonanza.

993. *Tal cabeza, tal sentencia*

Así como es el entendimiento y la razón, así es la idea y la expresión de cuerda y de sensata o de desbaratada.

994. *Tal la ley, o la grey, cual rey*

Que en el gobierno de los superiores, se conoce el talante y la situación de los inferiores.

995 *Tan bien corta mi espada como la tuya*

Contra las amenazas fanfarronas.

996. *Tan bien parece el ladrón ahorcado, como en el altar el santo*

De que parece bien que cada uno esté en el lugar que le corresponde.

997. *Tan malo es no querer pasar lo que no se puede excusar, como desear lo queno se puede alcanzar*

998. *Tanto es no saber como no ver; y tanto es no ver como no saber*

La ignorancia, es uno de los males peores, porque nos hace ciegos al conocimiento que ensancha los horizontes del ser humano.

999. *Teniendo lengua y qué comer, irá el hombre por doquier*

Con la palabra, el hombre puede preguntar y conocer, y si además, algo tan importante como el sustento, lo tiene cubierto, puede vivir y andar por donde le plazca.

1000. *Tiempo ni hora no se ata con la soga*

Porque si hay algo inaprensible en esta vida, es el devenir constante de tiempo.

1001. *Tiempo todo lo cubre; o lo encubre; o lo descubre*

1002. *Tiene ventura el que la procura*

No basta con desear las cosas, hay que hacer por merecerlas y conseguirlas.

1003. *Todo el mundo es uno*

Que lo de otros tiempos lo hay en el nuestro, y al revés, y lo de otras gentes y tierras, en la nuestra : de costumbres y vicios de hombres. (Textual Correas)

1004. *Todo lo nuevo aplace, aunque sea contra razón*

Las novedades atraen y parecen mejor que lo ya conocido, aunque, como dice el refrán no sean lógicas ni útiles.

1005. *Todos los hombres lo saben todo, que no uno sólo*

Significa que, entre muchos hombres, se saben muchas cosas, pero que resulta imposible que, en uno solo , pueda concentrarse todo el saber.

1006. *Todos los cojos son amigos de correr y saltar por su falta disimular*

1007. *Todos somos liberales de lo ajeno*
Cuando no se trata de bienes o dineros nuestros, todos somos generosos y pródigos.

1008. *Trabaja como si siempre hubieses de vivir, y vive como si luego hubieses de morir*

1009. *Trata con el enemigo, como que en breve haya de ser amigo, o con el amigo, como si hubiese de ser enemigo*
Por granjearse la simpatías de uno, y no dar excesiva confianza al otro.

1010. *Tres cosas hay conformes en el mundo: el clérigo, el abogado y el muerto o la muerte*
El clérigo toma del vivo y del muerto; el abogado de lo derecho y lo tuerto; la muerte, de lo flaco y de lo fuerte. (Textual Correas)

1011 *Tu que no puedes, llévame a cuestas*
Refrán burlesco que se utiliza para designar al que carga con más de lo que puedes, o que toma sobre sí, responsabilidades que no es capaz de desempeñar.

1012. *Una golondrina no hace verano, ni una sola virtud al bienaventurado*

1013. Unos nacieron para moler y otros para ser molidos

Nos indica que, en esta vida, gentes hay que parecen nacidas para tener buena fortuna y otros que siempre están por debajo de los demás y que pasan su existencia con más penas que glorias.

1014. Un puerco enlodado, enlodará todo un rebaño

Es frecuente, que un solo hombre, con su mal ejemplo, pueda arrastrar a otros muchos por el mal camino.

1015. Uso hace maestro

El repetir e insistir en un mismo trabajo, hace que cada vez se ejecute mejor. Equivale a otro refrán, muy popular que dice: la práctica hace a los maestros.

1016. Uso nuevo, entierra a viejo

Las nuevas costumbres sociales, entierran los hábitos y usos de antaño.

1017. Vano es quien se alaba, loco quien dice mal y mal habla

1018. Váyase el río por bajo la puente

Lo que no se puede alcanzar, hay que dejarlo correr y no darle más vueltas.

1019. Vergüenza donde sale una vez nunca más entra y la sospecha nunca sale de donde entra

El que pierde la vergüenza, puede decirse que ya lo ha perdido todo, y es difícil que se enderece. Por contra, donde entra la duda o la sospecha, también es difícil que, alguna vez desaparezca del todo.

1020. *Vivirás buena vida, si refrenas tu ira*

La templanza ayuda a evitar muchos enfados y contiendas, con lo que se vive más tranquilo y relajado.

1021. *Vuela el tiempo de corrido, y tras él va nuestra vida*

1022. *Vulgar e ignorante, a todos reprende y habla más de lo que menos entiende*

De todos es sabido, que el más ignorante es el más atrevido en sus juicios, con la temeridad que da el desconocimiento y la imprudencia.

1023. *Vulgo juzga las cosas, no como ellas son, sino como se le antoja*

Las masas se dejan llevar, en muchas ocasiones, por lo que oyen o se les dice, sin comprobar si están en lo cierto, por lo que sus acciones son, a veces, arbitrarias o desatinadas.

1024. *Ya que el agua no va al molino, vaya el molino al agua*

Cuando nos interesa conseguir un fin, si éste no viene a nosotros, nosotros tendremos que ir a él o a los medios para lograrlo.

1025. *Yo voy adonde Papa ni emperador no puedan enviar su embajador*

Estar lejos de los poderosos, siempre es garantía de una vida más tranquila, alejada de mandatos y leyes impositivas.

Más refranes sobre el casamiento y el hombre en la vida y cómo vivirla

- *Casar, casar, bueno es de decir y malo de llevar.*(514)

- *¿Soltero y renegado? ¿Qué harías de casado?.*(515)

- *Casamiento, casamiento y arrepentimiento en su seguimiento.*(522)

- *Casa a tu hijo con tu igual y no dirán de ti mal.*(524)

- *Quién casó una vez, digno es de lástima; quién casó dos, no tiene perdón de Dios.*(526)

- *Bodas buenas y magistrado, del cielo es dado.*(527)

- *Casamiento y mando del cielo es dado.*(527)

- *La mujer da al marido dos días de felicidad: el de la boda y de su entierro.*(535)

- *El casamiento y el melón, por ventura son.*(537)

- *Dame, Dios, marido rico, aunque sea borrico.*(544)

- *La viuda rica, con un ojo llora y con el otro repica.*(544)

- *A quien Dios quiere, pronto enviuda.*(550)

- *Toda criatura, torna a su natura.*(555)

- *El que encubre su natural, hace su mal.*(556)

• *El hábito no hace al monje.*(556)

• *Freno dorado, no mejora al caballo.*(556)

• *Al buen caballero, no le hace falta lanza.*(560)

• *Al buen bracero, todos le sirven de caña.*(560)

• *Cada cual es como Dios le ha hecho y algunos, mucho peor.*(563)

• *Malo es aquel que cree que los demás también lo son.*(566)

• *El que no se fía, no es de fiar.*(566)

• *Si las quieres pasar felices, no analices.*(568)

• *Cuando el villano está en el mulo, no conoce ni a Dios ni al mundo.*(569)

• *Cuida donde vas y te olvidas de dónde vienes.*(569)

• *Más moscas se cazaron con miel, que no con hiel.*(576)

• *La gota de agua horada la piedra.*(577)

• *Debajo de la miel, hay hiel.*(580)

• *En ojo ajeno, escarmienta el hombre cuerdo.*(582)

• *Escarmentar en cabeza ajena, doctrina buena, gran prudencia o gran ciencia.*(582)

• *Díme con quién fueres, direte quién eres.*(583)

• *Díme con quién irás, decirte he lo que harás.*(583)

• *Díme con quién paces y decirte he que haces.*(583)

• *Díme con quién vas, decirte he qué mañas has.*(583)

- *Díme cuáles dos venían y direte he lo que decían.*(583)

- *Ese es el hidalgo, que hace hidalguía.*(588)

- *El que tal ha padecido, se compadece del doliente y del herido.*(589)

- *El buen saber es callar, hasta ser tiempo de hablar.*(591)

- *El buen callar es oro y el mucho hablar es lodo.*(591)

- *Cobra buena fama y échate a dormir.*(592)

- *Entrad donde podáis salir.*(594)

- *El consejo no es bien recibido donde no es pedido.*(599)

- *Consejos vendo y para mí no tengo.*(599)

- *El que en sí confía, yerra cada día.*(600)

- *El que no duda, no sabe cosa alguna.*(600)

- *El placer que no es comunicado, no da cumplida alegría ni es bien logrado.*(603)

- *El mal viene a arrobas y vase a onzas.*(605)

- *El bien suena y el mal truena.*(606)

- *El que amenaza, una tiene y otra le aguarda.*(617)

- *El que da por tomar, engañado debe quedar.*(622)

- *Al gato escaldado, el agua tibia le es suficiente.*(623)

- *Quien desprecia, mercar quiere.*(624)

- *El que puede esperar, todo lo viene a alcanzar.*(625)

- *El que no va a la guerra, no muere en ella.*(629)

- *Harto sabe quién no sabe, si callar sabe.*(645)

- *Hoy somos y mañana, no.*(661)

- *Salir de Málaga y meterse en Malagón.*(662)

- *Huí de la luz, y caí en las llamas.*(662)

- *Huyó del toro y cayó en el arroyo.*(662)

- *Más hace quién quiere, que no quién puede.*(666)

- *La mentira no tiene pies.*(669)

- *La mentira presta es vencida.*(669)

- *Más quiero libertad pobre, que prisión rica.*(674)

- *Más vale maña que fuerza.*(678)

- *Lo que sepa la derecha, no lo sepa la izquierda.*(682)

- *Lo que saben tres, sábelo toda res.*(682)

- *Ojos que no ven, corazón que no siente, o corazón no quebranta.*(684)

- *Más vale mala avenencia que buena sentencia.*(699)

- *Más vale rostro bermejo que corazón negro.*(701)

- *El que hace lo que puede ya no está obligado a más.*(710)

- *Bien está lo que bien acaba.*(717)

- *El que quiera peces, que se moje el culo.*(728)

- *Peso y medida, tiene en paz nuestra vida.*(741)

- *El perezoso siempre es menesteroso.*(745)

Capítulo 4.

La cocina y el condumio

Comer es la primera necesidad del hombre para subsistir. Y con el paso de los años, esta necesidad se ha convertido en un arte y un placer, de tal forma que se dice que, la cultura de un país, puede adivinarse a través del refinamiento y gusto de su cocina.

Nuestros refranes, ponderan, con agudeza, aquellos manjares que nos son más gratos así como la bebida, en especial el vino que forma parte de la esencia de nuestro pueblo. Y si ensalzan algunos alimentos, usos y costumbres culinarias, se mofan también de otros, formando un divertido mosaico de ocurrencias y verdades.

1.026. Aceite en lo alto, vino en el medio y miel en lo bajo
Explica de dónde deben tomarse estos alimentos para que sean de lo mejor

1.027. Ajos majan; bien comerán
Este condimento añade sabor y es imprescindible en la elaboración de muchos platos, a los que hace muy gustosos. Por eso, cuando se anda con ellos en la cocina, se augura un buen yantar.

1.028. Al comer de los tocinos, cantan padres y cantan hijos; al pagar, todos a llorar
Mejor y con más y despreocupación se come ¡que no se paga aunque haya que hacerlo!

1.029. *Ántes pan que vino y antes vino que tocino y antes tocino que lino*

Primero hay que procurarse aquello que es más necesario para la vida.

1.030. *Ave por ave, el carnero si volare*

Encarece este tipo de carne sobre la de los volátiles, ya que tradicionalmente, el carnero es considerado de lo mejorcito.

1.031. *Ave que vuela, a la cazuela*

Según este refrán, todas las aves son buenas para comer, condimentadas de una forma u otra.

1.032. *A quien tiene abejas, nunca le falta un buen postre en la mesa*

Porque tiene abundancia de miel, que tan rica resulta, bien tomándola sola o como acompañamiento de otros dulces o frutas.

1.033. *Acelgas al mediodía y por la noche acelgas, mal me andarán las piernas*

Esta verdura no tiene gran alimento, y si sólo se toma ésto, ¡no se repondrán bien las fuerzas!

1.034. *Al comedor ni cosa delicada ni apetito en el sabor*

Al que goza de buen apetito, todo le gusta, aunque no se trate de platos excesivamente refinados.

1.035. *Al jamón de tocino, buen golpe de vino*

1.036. A la leche, nada eches; pero le dice la leche al aguardiente; "¡Déjate ver, valiente!"

Divertido refrán que, por un lado, señala que la leche debe tomarse sola, sin otros aditivos. Y por el otro, indica que un poco de aguardiente, le dan buen sabor y combina bien.

1.037. A quien come ajos y vino bebe, la culebra no le muerde

Porque son alimentos que dan fortaleza. Además, se supone que por el olor del ajo,¡la culebra ni se acercará!

1.038. Ajo y cebollino, para con vino

Ya que casan bien con él.

1.039. A veces, cuesta más el salmorejo* que el conejo

Cuando por ahorrar en cosas pequeñas, gastamos más que si hubiéramos comprado algo importante. De similar contenido a : "Gastar más en el relleno que en el pavo"

1.040. Agua poca y jamón hasta la boca

De lo poco que se aprecia el agua, y de lo mucho que gusta el jamón.

1.041. A malos tragos, buenos tragos

Cuando llegan penas y aflicciones, según la sabiduría popular, lo mejor es tratar de sobrellevarlos con unos cuantos tragos de vino, que siempre animan.

* Salsa o adobo hecho con aceite, sal vinagre y pimienta.

1.042. *Al hambre no hay pan negro*

La necesidad, y más en el comer, no hace ascos a ningun tipo de pan o de alimento

1.043. *Al quien a soplos enfría la comida, todos le miran*

Por ser de poca educación hacer semejante cosa en la mesa.

1.044. *Al matar el gorrino, juerga, placer y tocino*

La matanza del cerdo, era y es, en muchos lugares de España, una auténtica fiesta, ya que, tradicionalmente, suponía comida segura para el resto del año.

1.045. *Abejas benditas, santos abejares; dan miel a los hombres y cera a los altares*

¡Ya que son capaces de complacer a Dios y a los hombres!

1.046. *Aceite, vino y sal, mercaduría real*

Son tres ingredientes básicos en nuestra alimentación y los más considerados en la cocina.

1.047. *Aceite de oliva, todo mal quita*

Son tantas sus propiedades, alimenticias y salutíferas, que desde la antigüedad es considerado como un remedio eficaz para muchos males.

1.047. *Aceituna, una es oro, dos son plata, la tercera mata*

Este refrán, nos señala que no hay que abusar de ellas. Se aplica también a otro tipo de alimentos con significado casi idéntico: el melón, por la mañana es oro, por la tarde es plata, a la noche mata"

1.048. *Acelgas a medio día y por la noche acelgas, mala comida y mala cena*

Porque son insípidas y tienen poco alimento.

1.049. *A cazuela chica, cucharica*

Si hay poco, también de poco en poco hay que comer, porque sino, se acaba enseguida o no hay para nadie.

1.050. *Al mozo nuevo, pan y huevo*

Indica que a los niños que están creciendo, debe dárseles huevo y pan por considerarlos muy nutritivos y fortalecedores.

1.051 Al pie de las tomateras, no hay malas cocineras

Con los tomates, se hacen mil salsas, todas sabrosas, que combinan con todo tipo de platos, por lo que disponiendo de ellos, cualquier cocinera puede aderezar un guiso sabroso.

1.052. *Alforjas llenas, quitan las penas*

Sabiendo que hay para comer, ya se tiene mucho resuelto en la vida.

1.053. *Ajo, sal y pimiento y lo demás son cuentos*

Porque se trata de los mejores condimentos y los que más sabor dan a los platos.

1.054. *Aunque tengo malas piernas, bien visito las tabernas*

Ironía de los no pueden hacer determinados trabajos por que no tienen fuerza para ello, pero si pueden ir a la taberna a beber. Hay un coplilla popular, que abunda, con gracia, en este tema: "Yo no voy al trabajo, porque estoy cojo. Me voy a la taberna, poquito a poco"

1.055. *Agua beba, quien vino no tenga*

Aconseja conformarse con lo que se tiene, sino se puede alcanzar lo mejor.

1.056. *Angelitos al cielo, y a la panza los buñuelos*

1.057. *Arroz pasado, arroz tirado*

El arroz tiene un punto para comerlo en el que está muy rico, pero si se pasa se convierte en un pasta que para nada sirve.

1.058. *Bendita sea el agua por buena y por barata*

También hay refranes ¡aunque son los menos! que ensalzan las virtudes del agua, la mejor bebida que existe.

1.059. *Bebe el agua a chorro y el vino a sorbos*

Porque la primera no necesita precauciones y el segundo, hay que tomarlo con tiento para evitar males mayores.

1.060. *A gana de comer, no hay mal pan; ni agua mala a gran sed*

1.061. *Atún de ijada, comida regalada*

Es la parte más sabrosa de este pescado.

1.062. *Bebe, que te rías del vino, y déjalo antes de que el vino se ría de ti*

1.063. *Bota sin vino, no vale un comino*

1.064. *Bota sin vino, olla sin tocino*

Una bota sin vino, que es para lo que ha sido hecha, está tan triste y desvalida como una olla que sin tocino no tiene sustancia alguna

1.065. *Buena olla, mal testamento*

El que mucho gasta en comer, es posible que deje poca herencia.

1.066. *Barbo, mal pescado, que frito, que cocido, que asado*

1.067. *Boquerones de Málaga, bocado para el Papa*

Son de exquisito paladar, ¡por eso son dignos de ser comida papal!

1.068. *Cabrito de un mes, cordero de tres, lechón de dos semanas*

Indica el tiempo al que han de comerse para estar más tiernos y gustosos.

1.069. *Cabrito, ganso y lechón, de la mano al asador*
Se trata de carnes que deben consumirse muy frescas.

1.070. *Caldo de gallina, a los muertos resucita*

1.071. *Caldo de gallina y precaución, nunca hicieron daño ni a hembra ni a varón*

1.072. *Caldo frío y vino caliente, lo que valen pierden*
Porque, el caldo requiere estar caliente y el vino, por lo menos, a temperatura ambiente. De otra forma, se desvirtua su sabor.

1.073. *Capón de ocho meses para la mesa de Reyes*

1.074. *Carne cría carne y peces, aire*
La carne nutre y alimenta, mientras que el pescado, se consideraba que era mucho menos alimenticio.

1.075. *Carne blanda y vino puro, alimento seguro*

1.076. *Carne de pluma quita del rostro la arruga*
Las aves son nutritivas y engordan. ¡Por eso borran las arrugas!

1.077. *Carne de hoy, pan de ayer y vino de antaño*
Así es como mejor están estos alimentos.

1.078. *Carne cocida me da la vida; carne vuelta a cocer, no la puedo ver*
La comida recalentada, pierde todo su buen sabor y, con frecuencia, se vuelve incomible.

1.079. Carnero, castellano; vaca gallega; arroz de Valencia

1.080. Caldo de gallina a los muertos resucita

Es muy nutritivo y sabroso, y, antaño, se daba a los enfermos para que se restableciesen rápidamente.

1.081. Caldo sin jamón ni gallina, no vale una sardina

1.082. Callos y caracoles no es comida de señores

Antes, se consideraban alimentos humildes, no adecuados para mesas de importancia.

1.083. Carne blanda y vino puro, alimento seguro

1.084. Cuando hubieres ganas de comer, come de la nalgada y deja la hijada

Porque la nalgada tiene buenos trozos de carne, mientras de que hijada es todo hueso y hay poco que rascar.

1.085. Carne de junto al hueso, dénme de eso

Es la más sabrosa y sustanciosa.

1.086. Chanzas y danzas no llenan la panza; tajada buena si la llena

1.087. Claro, claro, en el hablar si, pero no en el caldo

El caldo debe ser espeso y sustancioso, si es clarucho ni está bueno en el sabor ni resulta alimenticio.

1.088. La cebolla en todas las comidas, y con una para toda la vida
Este condimento es ideal para todo tipo de guisos, pero aconseja emplearla con moderación.

1.089. Coles y nabos, comida de aldeanos

1.090. Con buena comida para tres, cuatro comen bien

1.091. Cuando por soso, cuando por sabroso
Además de su sentido directo, significan también, cuando por una causa u otra, se hacen o dejan de hacer determinados actos.

1.092. Chacina de Jabugo, la mejor del mundo
Encarece la calidad y buen sabor de todos los productos derivados del cerdo, de la localidad de Jabugo, famosa en la elaboración de estos alimentos.

1.093. Chanfaina, poco el hambre amaina
La chanfaina es una salsa a base de tomate y verduras, muy rica al paladar, pero poco consistente para llenar el estómago.

1.094. Chocolate frío, échalo al río

1.095. De agua bendita y de escarola, basta poca
Irónica refrán, que recomienda no andar mucho en asuntos religiosos y no tomar mucha escarola.

1.096. De buen caldo, buenas sopas

1.097. De buen mantener, huevos y pan de ayer

1.098. De Cantimpalos, no hay chorizos malos

1.099. De eso que sabe a rosquillas, lléname la cestilla; y si aun quedare un poquito, lo llevaré en el bolsillo
De las cosas que gustan, siempre quiere uno, un poco más.

1.100. De harina mala, malas tortas se sacan

1.101. De la uva de palomino hacen en el Jérez el vino

1.102. De buen vino de Jérez, poquito cada vez
Por paladearlo mejor, ¡y para no pasarse!

1.103. Después del arroz, pescado y tocino, se bebe buen vino

1.104. De un cólico de espinacas, no se murió ninguno; de un cólico de carne, muchos

1.105. Donde hay gallinas, hay huevos y pollos; y donde hay huevos y pollos, no faltará quien se coma los unos y los otros.

1.106. Dar una gallina por un huevo, no lo apruebo
Cambiar lo mucho por lo poco, ¡no es buen negocio!

1.107. De esa ave que llaman "coche" come de día y come de noche

Aconseja tomar esta carne tan rica, al entender del refrán, a todas horas.

1.108. De enero a enero , besugo quiero

El besugo es un pescado muy sabroso, y durante todo el año, resulta un auténtico manjar.

1.109. De malas tripas, malas morcillas

Además de su sentido literal, indica que cuando el principio o la base es mala, lo que se deriva de ello, no puede ser bueno ni salir bien. Otro refrán con este mismo significado es:
De mala levadura, mal pan se amasa

1.110. De lo que come el grillo, poquillo

El grillo se alimenta de hierbas y verduras, y por ser menos sustanciosas, el refrán recomienda que no se coman muchas.

1.111. Dios me dé en mi casa tomates y berenjenas, y no faisanes y salmones en la ajena

Es mejor lo propio, aunque sea humilde, que no lo de los demás, a lo que no tenemos acceso, por muy rico que sea.

1.112. Echa a tu olla tus pergaminos, mientras yo echo en la mía jamón y tocino

Divertido refrán que se ríe de los títulos o de los que presumen de ellos, y se decanta por el sentido práctico y el buen comer.

1.113. El buen vino lo has de notar, porque para todos es de buen beber y de mal dejar

1.114. El buen vino no merece probarlo el que no sabe paladearlo

1.115. El buen vino sugiere buenos pensamientos, y el malo, perversos

Porque es un placer disfrutarlo y paladearlo, mientras que el malo, hace renegar de él y puede producir estragos.

1.116. El conejo corriendo y la perdiz oliendo

De forma un poco exagerada, señala que el conejo ha de comerse recién cazado, mientras que la perdiz, debe tomarse cuando su carne ya huela, lo que se llama trasnochada.

1.117. El cuchillo del que te parte el pan, te dirá si te quiere bien o mal

Si la rebanada es pequeña, poco cariño. ¡ Si la rebanada es grande y abundante, es porque te quiere bien!

1.118. El español fino, con todo bebe vino

1.119. El español que vino no tenga, cerveza beba; pero ¿quién que buen vino tiene, cerveza bebe?

Evidentemente, encarece el vino sobre toda bebida, recurriendo a las demás ¡sólo en caso de extrema necesidad!

1.120. *El huevo de hoy, el pan de ayer, y el vino de un año, todos hace provecho y a ninguno daño*

1.121. *El queso sin ojos y el pan con ellos, comellos*
Ya que son los mejores.

1.122. *Estómago con hambre, no quiere razones, sino panes*
Y es cosa cierta, que con palabras no se alimenta uno, y más cuando hay hambre.

1.123. *El pollo de enero, para julio es tomatero*
A propósito para tomarlo guisado con tomate.

1.124. *El vino es la ganzúa de la verdad*
Porque suelta la lengua y elimina la vergüenza.

1.125. *En cada botella de vino, hay un Castelar escondido*
Castelar fue un famoso político del siglo pasado, célebre por su magnífica oratoria, de forma que incluso hoy, cuando hay alguien que se explica muy bien o tiene un verbo fluido, se dice: "parece Castelar". Como el vino, da euforia, hace desaparecer la timidez y nos vuelve más comunicativos, ¡no es de extrañar, que en cada botella, haya un curso de oratoria completo, listo para ser aprendido y utilizado por sus consumidores!

1.126. *El vino del vecino, ese si que es buen vino*
Porque es de balde.

1.127. El aire convierte el vino en vinagre

1.128. El arroz, con pollo; y vaya al cuerno el arroz solo

1.129. El buen melón, se conoce por el olor

1.130. El buen vino, en copa cristalina, servida por mano por mano femenina
¡Qué más se puede pedir!

1.131. El buen vino alegra los cinco sentidos: la vista por el color; el olfato, por el olor; el gusto, por el sabor; el tacto por lo que agrada coger el vaso y el oído por el brindar, por el tintín de los vasos al chocar.

1.132. El cochino no tiene desperdicio
Por que de él, se aprovecha todo, absolutamente todo.

1.133. El consejo de San Benito, cómelo asado, si no puedes comerlo frito

1.134. El huevo, a la hora de haberlo puesto
Cuanto más frescos, mejores y más nutritivos son los huevos.

1.135. Espinacas, comida sana

1.136. El mucho vino, agua las fiestas
Porque cuando la gente pierde el control, se pone patosa, y se destrozan las fiestas y convites.

1.137. El pan de trigo, Dios lo hizo; el de centeno, no sé quién lo habrá hecho

Ya que el de trigo, es mucho más gustoso y de mejor presencia ya que es más blanco y apetecible.

1.138. El pescado, cómelo callado

Por las espinas, que pueden ser peligrosas si se tragan.

1.139. El pollo, antes del año; y el pato, madrigado*

1.140. El vino es casi pan

Alaba las cualidades del vino, considerándolo tan rico y con tantas virtudes como el pan que es nuestro alimento básico.

1.141. El vino malo, mejor que el agua buena
1.142 En la Mancha, buenas judías y mejores cristianas

1.143 En la panza llena, no hay pena; y en la panza vacía, no hay alegría

Cierto es este refrán, que cuando no se tiene qué comer, todos son penas, y que con el estómago lleno, se ve la vida con mucho más optimismo.

1.144. Entre pueblo y populacho, hay la misma diferencia que entre jamón y gazpacho

1.145. El buen vinagre del buen vino sale

El uno es consecuencia del otro. También indica que, cuando la base es buena, lo que se deriva de ella, es bueno necesariamente.

* madrigado por que tenga cierto tiempo.

1.146. El pan, por comer, júrase que se ha de agradecer; más ya comido, al punto es desagradecido

Pone de manifiesto la muy frecuente ingratitud humana.

1.147. Lo que no sabe a cobre*, sabe a piñones

Lo que se recibe gratis, sabe mucho mejor que lo que hay que pagar.

1.148. En tiempo de higos, del dueño de la huerta todos son amigos

1.149. En todo manjar, es bueno la sal

Y más que bueno, podría decirse que es imprescindible, por hacer más sabrosos los alimentos,

1.150. Entre el arroz, que atrapa, y las uvas, que sueltan, ya está la cosa resuelta

El uno estriñe, y las otras, suelta, ¡con lo que cualquier problema de este tipo, queda resuelto!

1.151. Entre lo salado y lo soso, está el punto sabroso

O sea, que en el punto medio, o en punto justo, está la virtud.

1.152. Fruta barata, llévala a casa

1.153. Fruta de huerta ajena, es sobre todas buenas

* cobre por dinero

1.154. Fruta nueva, si no está madura, no es buena

1.155. Gachas de almorta, el estómago confortan

1.156. Guiso de caracoles, a carnal dispone

Según una antigua creencia, los caracoles tenían propiedades afrodísiacas, por lo que se suponía que su ingestión, inclinaba a practicar los placeres de la carne.

1.157. Gallina que canta, de poner viene

1.158. Haya cosillas para guisar, que cocinera no ha de faltar

Lo importante y lo básico es que se tenga materia para comer, que siempre habrá quien pueda guisarlas. ¡Lo malo es cuando hay cocinera, pero no hay qué cocinar!

1.159. Hecha la paella, buena o mala, hay que comerla

Por que no se pase el arroz.

1.160. Horno en Navidad, no tiene descanso

En esta época el año, en todas las familias se preparan las grandes comidas, propias de esta festividad, ¡por lo que los hornos están al rojo vivo!

1.161 Jérez amontillado, mérito doblado

1.162. Jérez de años tres, buen vino es; y mejor de tres veces tres

1.163. Judías y garbanzos son primos hermanos, y suelen caer en el mismo plato

1.164. Judío que come tocino y jamón, tórnase cristiano sin dilación

Estos alimentos están prohíbidos por la ley judaica, pero son tan sabrosos, ¡que se supone que el judío que los prueba, reniega de su religión y se hace cristiano para poder disfrutar de ellos!

1.165. La batata la hizo Dios; el boniato, no

La batata es dulce y deliciosa, mientras que el boniato es más soso y áspero.

1.166. La mejor vecina, la cocina

Se supone que es donde mejor se encuentra la mujer, evitando los cotilleos, tan comunes en los vecindarios.

1.167. La pimienta es chica, pero pica

1.168. La uva tiene dos sabores divinos: como uva y como vino

1.169. La chocha y la perdiz, a la nariz

Estas dos aves, como toda la caza, hay que comerlas cuando la carne tiene algunos días, casi cuando huele, por ser entonces más sabrosas.

1.170. Las uvas hebenes, se comen y se huelen

Es una variedad de gran sabor y aroma delicado.

1.171. La uva piñuelo como el caramelo
Es tan dulce como él.

1.172 Llámale al vino, vino y al pan, pan y todos te entenderán
Se utiliza para decir que las cosas y los pensamientos, deben expresarse con claridad y verdad

1.173. Más alimenta una mala pitanza, que una buena esperanza
Es bueno tener esperanza, pero a la hora de comer, hay que ser prácticos, y aunque sea poco, más vale lo que hay que no lo que ha de venir.

1.174. Melón sin calar ¿quién sabe cómo saldrá?

1.175 Miel de abejas sabe bien y alimenta

1.176. Muy bien guisa la moza, pero mejor la bolsa
Cuando la materia prima es buena, con lo que suele ser cara, mejora mucho la calidad de la cocinera.

1.177. Ni adobo sin ajo, ni campana sin badajo, ni viudita sin majo
¡Imprescindibles los tres para cada situación!

1.178. Ni manada sin perros, ni olla de congrio sin puerros
Todos los rebaños han de llevar perros para su cuidado y defensa. De igual modo, la olla de congrio necesita de los puerros para estar en su sabor completo.

1.179. Ni caldo frío ni vino caliente
Porque entonces no saben a lo que tienen que saber.

1.180. Nunca amarga el manjar, por mucho azúcar echar

1.181. No hay buena olla, sin un caso de cebolla

1.182. No hay cocinera que sepa hacer un guiso de esperanzas lisonjeras

1.183. Olla buena y reposada, puede comerla el Papa
Porque es riquísima y esta en su punto.

1.184. Olla con jamón, tocino, vaca y gallina, alimento y medicina

1.185. Olla con jamón y gallina, canela fina

1.186. Olla con vaca, coles y nabos, olla de villanos
Porque contiene alimentos más sencillos y humildes

1.187. Olla con vaca y carnero, olla de caballeros
Porque sus ingredientes son más ricos.

1.188. Olla arrebatada, olla malograda
Si la cocción se hace a fuego rápido, sin tenerla el tiempo que precisa, se malogra el guiso.

1.189. Olla de media hambre: muchas berzas y poca carne
Ya que las verduras no alimentan ni llenan como los productos cárnicos.

1.190. Olla sin berzas, en mi mesa no la vea
Aunque la carne es muy importante, también las verduras le añaden sabor y riqueza al plato.

1.191. Olla sin sal, ni el gato la comerá

1.192. Olla sin tocino es como bota sin vino

1.193. Olla con jamón y con gallina, a los muertos resucita
Por ser muy nutriente y alimenticia.

1.194. Olla de coles y nabos, tocino añejo, fortaleza a los mozos y remoza a los viejos

1.195. Pan con pan, comida de tontos
Por su poco gusto y variedad.

1.196. Pan y cebolla, con gusto y buena compañía, saben a gloria bendita
Si no hay abundantes manjares, cualquier comida sencilla puede resultar grata cuando se está al lado de los que se quiere.

1.197. Pan y vino para el camino
Son dos alimentos básicos que nos ayudan a transitar por la vida.

1.198. Racimos de moscatel, pocos dan su zumo al tonel
Esta uva es tan buena para la mesa, que poco de ella llega a convertirse en vino.

1.199. Rábanos sin pan, poco o nada te alimentarán

1.200. Racimo de moscatel: ninguno como él
Por se la uva más sabrosa y refinada de sabor.

1.201. Rebanada o tajada, grande es como agrada

1.202.Sin comer, no hay placer
La comida es un placer en si misma, pero además, si no se come no hay fuerzas para cualquier otra actividad.

1.203. Una buena bota, el camino acorta

1.204. Una salsita de tomate, le sentaría bien hasta al chocolate

1.205. Un gazpacho por mi ganado, me sabe a piñones mondados
Lo que uno obtiene con su esfuerzo, satisface más que nada.

1.206. Un panecillo entre cuatros, apenas caben a bocado

1.207. Una buena bota y un buen amigo, hace gustoso el camino

1.208. Una uvita a cada rato, es un pasatiempo grato

1.209. Un granito de pimienta, así en el guiso como en el habla, bien sienta

Le añade un poco de picante en un caso y de picardía en el otro, y lo hace más agradable y alegre.

1.210. Un día perdiz y otro gazpacho, para que las perdices no den empacho

De todo hay que comer, pero su sentido es que hasta lo mejor y lo más bueno, si se toma a diario, se acaba aborreciendo.

1.211. Uno caza el conejo y otro se lo come al salmorejo

No siempre el que hace el esfuerzo o el trabajo, es el que más beneficio saca de él.

1.212. Zanahoria y nabo, primos hermanos

Capítulo 5.

El tiempo y el calendario

Capítulo 5.

El tiempo y el calendario

En un país eminentemente agrícola, como el nuestro, el tiempo atmosférico ha sido siempre de gran importancia. El campesino, pasa gran parte de su vida mirando al cielo, unos veces rogando por la lluvia, otras veces maldiciendo el viento o deseando la llegada de aquellas condiciones climáticas que harán fértiles sus campos y fecundas sus cosechas. Y de esa observación sistemática, han surgido numerosos refranes, todos ellos fruto de la experiencia conseguida a través de los siglos.

En cuanto al calendario, sucede algo parecido. Todos los meses tienen sus características específicas en relación con las labores del campo, o sus festividades, religiosas y profanas, ligadas a la vida rural y de ella, llevadas al uso común del resto del personal.

El tiempo

1.213. Ara con helada, la matarás la grama*

1.214. Ara por enjuto y por mojado, y no comerás pan fiado

Porque cogerás mucho trigo.

1.215. A buena barbechera, buena sementera

Cuando la tierra ha descansado, y se siembra después de ararla a conciencia, es seguro que la simiente arraigará bien.

1.216. Año de nieblas, año de hacinas*, tempranas que no tardías

El año con esas características, es bueno para el trigo que, además, madura de forma temprana.

1.217. Ara bien y con afán y cogerás mucho pan

1.218. Arco en el cielo, agua en el suelo

Se refiere al arco iris. Cuando aparece es señal de que lloverá.

1.219. Arco, mañana charco

Anuncia lluvia para el día siguiente, y además, de cierta intensidad.

---

*La grama es una mala hierba que hay que quitar de los cultivos.
*Hacinas: Montones de haces de miés

1.220. *Arco a la matina, apareja la gabardina*

1.221. *Arco iris al amanecer, agua antes de anochecer*

1.222. *Arco iris al anochecer, buen tiempo al amanecer*

1.223. *Arco iris al Levante, levanta el tiempo al instante*

1.224. *¿Cazador es el amigo? No cogerá mucho trigo*
Cuando uno se dedica a las labores de la caza, poco tiempo tiene para dedicarse a las del campo, por lo que sus cosechas no serán muy abundantes. Otro refrán de igual significado es:

1.225. *A puerta de cazador, nunca gran muladar*

1.226. *Agua al mediodía, agua para todo el día*

1.227. *Agua del cielo, no quita riego*
Indica que no suele ser suficiente el agua de lluvia, como para no tener que regar.

1.228. *Agua de agosto, azafrán, miel y mosto*
Cuando llueve en este mes, las cosechas de estos tres productos son buenas y abundantes.

1.229. *Agua de enero, todo el año tiene tempero**
La lluvia de enero asegura un buen año.

*tempero= sazón y buena disposición en que se halla la tierra para sementeras y labores

1.230. Agua de mayo, pan para todo el año
Porque hace crecer los trigos.

1.231. Agua de por San Juan, quita vino y no da pan

1.232. Agua tempranas, buenas otoñadas
Cuando las lluvias llegan pronto, el otoño es bueno para sembrar porque la tierra tiene sazón suficiente.

1.233. Agua y luna, tiempo de aceitunas

1.235. Año bisiesto, ni viña ni huerto, ni pan en el cesto
Recoge la creencia general de que los años bisiestos son maléficos. Es muy conocido el refrán que dice: "año bisiesto, año siniestro"

1.236. Año de avispas, años de nieves y ventiscas

1.237 Año de nieves, año de bienes
Porque asegura que habrá agua y será un año fructífero.

1.238. Año de nieves, año de aceite

1.239. Año que empieza helando, mucho pan viene anunciando

1.240. Arco iris al mediodía, agua para todo el día

1.241. Arreboles* por la mañana, por la tarde agua
*arrebol= es un tipo de nube que está roja por el reflejo del sol.

1.242. Borreguitos* en el cielo, barquitos en el suelo

Cuando aparecen esta clase de nubes, señalan que va a llover con intensidad.

1.243. Buena es la nieve que en su tiempo viene

1.244. Busca pan para mayo y leña para abril, y échate a dormir

1.245. Cacera y pesquera ,hambre espera

Porque nunca se consigue tanto como para vivir de ello con abundancia

1.246. Calle mojada, cajón seco

Eso dicen los comerciantes, pues cuando llueve, la, gente se retira a sus casas, y de no ser imprescindible, no salen a comprar.

1.247. Casa sin sol, no la hay peor

Porque puede ser húmeda e insalubre.

1.248. Cebada para marzo, leña para abril y trigo para mayo

1.249. Cebada sobre estiércol, espérala cierto, y si el año es mojado, pierde cuidado

Cuando se abona y hay humedad natural, es segura la cosecha de cebada.

*borreguitos= otro tipo de nube blanca y de formas redondeadas

1.250. Cerco de sol, moja al pastor; cerco de luna, pastor enjuga

Cuando el sol presenta una especie de aureola, es signo de agua. Cuando esta misma aureola se da en la luna, es signo de tiempo seco. También suele decirse: "cerco de luna, navajo* enjuga; cerco de sol, moja pastor"

1.251. Cuando aquí nieva, ¿qué será en la sierra?

Se utiliza para comentar que si sucede algo en un lugar donde no es el propio, que será en aquel otro en el que es lógico que se produzca.

1.252. Cuando atruena en marzo, hiere las cubas con el mazo

Tronar o atronar, es señal de calor, y si lo hace en marzo, denota que la vid está fuera de peligro por las heladas y habrá abundancia de vino. Así que hay que ir preparando las barricas.

1.253 Cuando canta el cuco, una hora llueve y otra hace enjuto

El cuco empieza a cantar en abril, mes en el que suele hacer ese tiempo inestable.

1.254. Cuando canta la abubilla, deja el buey y toma la gavilla

Al igual que en el refrán anterior, el canto de esta ave, señala que ha llegado el tiempo de la siega.

*navajo= por nava, tierra sin árboles y llana, generalmente, entre montañas

1.255. Cuando el durazno está en flor, la noche y el día están de un tenor

Por los meses de junio y julio en los que madura el melocotón, la noche y el día, tienen ya una duración parecida.

1.256. Cuando el tiempo luce, el agua aduce

Que la mucha calma es señal de agua.

1.257. Cuando en invierno vieres tronar, vende los bueyes y échalo en pan

Las tormentas de invierno son muy perniciosas y pueden tener malas consecuencia para todos los cultivos.

1.258. Cuando hay uvas e higos, adereza tus vestidos

Porque ya se va acercando el invierno

1.259. Cuando la Candelaria plora, el invierno es fora; cuando ni plora ni hace viento, el invierno es dentro; y cuando ríe, quiere venire

Da a entender que si llueve bien por la Candelaria, que es a principios de febrero, se desencona el tiempo y se acaban las aguas y el invierno, y si no, que lloverá después y tardará más el verano.

1.260. Cuando llueve y hace sol, alegre está el pastor

Porque habrá hierba y tiene el pasto asegurado para sus rebaños.

1.261. Cuando truena, llover quiere

1.262. De tierra floja, nunca buena cosecha

1.263. De agua y estiércol, milagros cientos
No hay nada mejor para la tierra. Incluso de la peor, pueden conseguirse frutos con estos dos elementos.

1.264. Día de nublo, día de engurrio
Por encogimiento y engorro. (Textual Correas)

1.265. Día de San Fernando, huelga el mozo, aunque le pese al amo
Llaman días de San Fernando a los muy lluviosos, que no se puede salir a trabajar al campo.

1.266. Día de San Martino, todo el mosto es buen vino

1.267. Dice mayo a abril: "Aunque te pese me he de reír"
Dicen porque abril lluvioso saca mayo hermoso, y parece que de las tristezas, aguas y nublados de abril, saca mayo su risa y alegría.

1.268. Dios nos tenga de su mano, y nos saque del invierno y nos meta en el verano

1.269. Dos aguas de abril y una de mayo, valen los bueyes y el carro
Por lo muy beneficiosas que son y porque aseguran una buena cosecha.

1.270. El cielo manda en el suelo

De que llueva o haga sol, depende la fertilidad de las tierras.

1.271. El agua de poniente, suelta la mula y vente

Señala que será una lluvia copiosa y que se presenta de repente, sin dar mucho tiempo a guarecerse.

1.272. Escarcha velluda, a los tres días suda

Da a entender la llegada del tiempo húmedo y lluvioso después de una escarcha que cubre los campos.

1.273. En diciembre, leña y duerme

Hace frío y los cultivos están parados. ¡Lo mejor es abrigarse, estar cerca del fuego y descansar!

1.274. En enero, el agua se hiela en el puchero y la vieja en el lecho

1.275. En invierno, con el frío, téngolo encogido; en verano, con el calor, tan largo se me pon

Es la masa del pan . (Textual Correas)

1.276. Enero y febrero, hinchen el granero con su hielo y su aguacero

1.277. En febrero, sale el oso del osero

Ya empieza a mejorar el tiempo y el oso despierta de su letargo invernal.

1.278. En invierno ladrillado y en verano aguijarrado
En referencia al suelo y a las condiciones en que se encuentra, según la época del año.

1.279. En invierno de cara y en verano de espaldas
Da el aire al que camina.

1.280. En marzo sale la hierba aunque le den con un mazo; y en abril en cada regacil

1.281. En marzo, si cortas un cardo nacerte han mil
Porque han de ser cortados antes de este mes.

1.282. En mayo lodo, espigas en agosto
Las aguas de mayo suponen una buena cosecha de trigo.

1.283. Entra mayo y sale abril; ¡cuán floridito le ví venir!

1.284. En abril y mayo haz harina para todo el año

1.285. Febrerillo corto, con sus días veintiocho; si tuvieras más cuatro, no quedaría ni el gato
Se trata de un mes muy irregular, que, a veces, causa estragos por su mucho frío o por un tiempo fuera de su temperatura habitual.

1.286. Febrero, rato malo, rato bueno

1.287. Febrero, busca la sombra el perro
Si viene soleado, ya calienta.

1.288. Febrero, siete capas y un sombrero

1.289. Heladas de enero, nieves de febrero, mollinas de marzo, lluvias de abril, aires de mayo, sacan hermoso el año

1.290. Helada sobre lodo, agua sobre todo
Que llueve tras ello.

1.291. Helada sobre lodo, nieve hasta el hinojo*

1.292. Invierno solarejo, verano barrendero
Parece que será fértil y habrá que barrer las eras, pero ha de ser el sol, hielos en enero y nieves en febrero. (Textual Correas)

1.293. Junio y Julio, hoz en puño
Llega el momento de la siega. En junio, en los terrenos más calurosas y tempranos y en julio en aquellas tierras más frías, donde madura más tarde.

1.294. Las grullas bajas, mucho grano y poca paja
El vuelo de estas aves suele indicar cambios de tiempo. Cuando su vuelo es bajo, anuncian la llegada de lluvias que favorecen el crecimiento de hierbas y espigas.

1.295. Las mañanitas de abril, son muy dulces de dormir y las de mayo, las mejores de todo el año
*hinojo= rodilla

1.296. Lo que hace el veintisiete, hace al mes siguiente

1.297. Luna con cerco, agua trae presto

1.298. Luna de agosto, frío en rostro

1.299. Luna en creciente, cuernos al oriente

1.300. Luna en menguante, cuernos adelante

1.301. Lloviendo y haciendo sol, sale el arco del Señor. Cuando llueve y hace frío, sale el arco del judío
En el primer caso, sale el arco iris mientras que en el segundo caso,¡ no sale nada!

1.302. Lluvia de levante no deja cosa adelante
Se trata de una lluvia fuerte que arrasa con todo.

1.303. Lluvia de solano no deja nada sano
Tiene un significada parecido al anterior. El solano es también en aire de levante.

1.304. Mañanita de niebla, tarde de paseo
Se dice que cuando hay niebla por las mañanas, las tardes suelen ser soleadas.

1.305. Mayo come trigo y agosto bebe vino

1.306. Mayo el largo
Así lo llaman por sus días largos.

1.307. Nadal frío, cordial invierno, de verdad

Se refiere a la Navidad. Si hace frío, lo hará en todo el invierno.

1.308. Ni calor hasta San Juan, ni frío hasta Navidad

Son dos fechas que indican cuando, de verdad empieza el calor y el frío.

1.309. Niebla de marzo, agua en la mano

1.310. Nieblas en alto, aguas en bajo

1.311. Niebla cerrada, a los tres días remojada

1.312. Noche serena escarcha o rociera

Cuando el tiempo está despejado, en invierno hace más frío, y a la mañana siguiente es seguro que se formará escarcha.

1.313. No hay peor tiempo, que aquel que viene a destiempo

Porque todo lo trastoca y estropea las cosechas, bien por frío o por calor, cuando no es tiempo de ello.

1.314. Norte oscuro, vendaval seguro

1.315. No te dejes la merienda por harto ni la capa por raso

Cuando se sale al campo, hay que ir prevenido, tanto en comida como por abrigo, ya que el tiempo puede cambiar .

1.316. *No temas al daño sino al año*

Aconseja valorar el año al completo, y no lamentarse por un daño puntual.

1.317. *Nubes con puesta de sol, no faltará chaparrón*

1.318. *Nunca llueve a gusto de todos*

Conocidísimo refrán, que además de su sentido directo, indica que es difícil satisfacer a todos, por muy bien que se quieran hacer las cosas.

1.319. *Primavera fría, cosecha tardía*

1.320. *Primero le faltará la madre al hijo que la helada al granizo*

Aunque de una forma un tanto exagerada, señala que después del granizo, la tendencia a helar es muy fuerte.

1.321. *Siembra con llovido y escarda con frío*

Porque así el trigo germina bien y las hierbas arrancadas, se hielan con el frío y no se reproducen.

1.322. *Siémbrame en febrero, aunque me metas en un agujero*

Se refiere a la siembra del ajo, que se hace en este tiempo y de esta forma.

1.323. *Siembra temprano y poda tardío, cogerás pan y vino*

1.324. Si no lloviere en febrero, ni buen prado ni buen centeno

1.325. Si la golondrina en marzo no la ves, mal año en espiga es

1.326. Si quieres conservarte sano, la ropa de invierno llegará al verano

Advierte del peligro de quitarse demasiado pronto la ropa de abrigo y lo conveniente qué es estar abrigado hasta que el tiempo es bueno, con toda seguridad.

1.327. Siempre que ha llovido, ha escampado

Indica que después de la tempestad viene la calma, y que no hay cosa mala o pesar, que no se termine en algún momento.

1.328. Sol de invierno, sale tarde y pónese presto

1.329. Sol de invierno y amor de puta, poco dura

1.330. Sol de marzo, hiere como un mazo

Empieza ya a ser fuerte y hay que tener cuidado con él.

1.331. Tarde de banda*, al otro día no hay jornal

Anuncian lluvias fuertes, por lo que no se podrá salir al campo, a trabajar y a ganar el jornal.

* se refiere a las aves cuando vuelan muy juntas ,en bandadas.

El calendario

En todos los meses del año, el campesino realiza labores en el campo y muchas veces, liga esas labores, tanto de siembra como de recolección, ha festividades religiosas o a santos, creando, desde tiempo inmemorial, un calendario propio, muy curioso e interesante.

1.332. *Cada cosa a su tiempo y los nabos en Adviento*
El Adviento se celebra cuatro semanas antes de la Navidad, o sea que los nabos llegan en invierno.

1.333. *Carbón, aceite y sal, cómpralos por San Juan*
Por ser el mejor tiempo para adquirirlos, a finales de junio.

1.334. *De abril y de la mujer, todo malo ha que temer*

1.335. *De enero a enero, pan casero y lienzo casero*

1.336. *Desde San Antón, mascaritas son*
Porque se acercan ya los carnavales

1.337. *El buen barbecho, para marzo está hecho*

1.338. *El hambre de mayo y el frío de abril, a la puerta de tu enemigo te harán ir*
Cuando no se tiene, hay que recurrir aunque sea al enemigo para pasar el mal trago.

1.339. Espiga o espigorrín ha de asomar en abril

1.340. El viento que corra por San Juan, todo el año reinará

Por lo menos, así lo dice la creencia popular.

1.341. En julio, beber y sudar; y la sombra en balde buscar

Es uno de los meses más calurosos del año, cuando no el que más.

1.342. En llegando febrero, mire el suelo el viñadero, y no al cielo

Atienda las labores de su viña, haga tiempo que haga, porque, al llegar marzo, la hierba crece en cantidad.

1.343. En mayo, cualquiera tiene caballo

La hierba está crecida, y los caballos y otros tipos de caballerías, están gordos y hermosos porque no les falta comida .

1.344. El día de la Ascensión, cuajan la almendra y el piñón, y el día de San Juan, acaban de cuajar

La Ascensión es una fiesta movible que cae en mayo y San Juan es el 24 de junio.

1.345. En julio se muere un hombre de sed entre un pozo y un aljibe

1.346. *En invierno, largo el paseo; en verano, del codo a la mano*
Porque el calor y sol, abruman, y se buscan los interiores frescos y no los exteriores calurosos.

1.347. *El sol setembrino, madura el membrillo*

1.348. *En abril, cada caña con su fusil*
Cada caña de cereal, con su espiga. Por eso se dice también: " Abril , sácala a relucir"

1.349. *En abril, chica o grande , ha de salir*
La espiga de los cereales.

1.350. *En abril, no me toques la raíz*
Es lo que le dice el sembrado al labrador.

1.351. *En Santa Ana y Santiago, pintan las uvas, y para el mes de agosto, ya están maduras*

1.352. *La primavera, que cante o llore, no viene nunca sin flores, ni el verano sin calores, ni el otoño sin racimos, ni el invierno sin nieves y fríos*

1.353. *La primera lluvia de agosto, apresura el mosto*

1.354. *Lluvia de verano y llanto de puta, poco duran*

1.355. *Lluvia por San Cipriano, quita mosto y no da grados*

1.356. *Lluvias por San Miguel, poco tiempo la has de ver*

1.357. *Lluvias de enero alegran al cosechero*

1.358. *Lluvias de marzo, hierbas en los sembrados*

1.359. *Llueva por abril y mayo, y no llueva en todo el año*
Son los mejores meses para que llueva y se favorezcan las cosechas. Por eso dice que, aunque no llueve en todo el año, por lo menos, que lo haga en este tiempo.

1.360. *Lluvia fina y caladera en toda la primavera*

1.361. *Llegando San Andrés, invierno es*
San Andrés se celebra a finales del mes de noviembre.

1.362. *No seas cicatero en convidar: convida, en diciembre, a tomar el sol y en julio, a tomar el fresco*
¡Es lo que más apetece en estos meses, y por demás, es barato!

1.363. *Por San Juan, suelta el gabán*
Porque ya empieza el calor.

1.364. *Para San Andrés el vino añejo es*

1.365. Por San Andrés mata a tu res, chica, grande o como esté

Se cita tanto a San Andrés, como a San Martín, para señalar que, a mediados de noviembre es la época mejor para la matanza, ya que el frío es seco y la carne se cura mejor.

1.366. Por San Andrés, nieve en los pies

1.367. Por San Andrés, siempre de noche es

Al ser ya invierno, los días son cortos y las noches eternas.

1.368. De todos los santos de enero, San Antón es el primero

San Antón es uno de los santos más conocidos y populares en el ambiente rural. Se le considera el protector de los animales, y antiguamente, en muchos pueblos había la acostumbre de soltar un gorrinillo que se alimentaba, durante todo el año, de lo que le daban las gentes, para luego matarlo y comerlo, en una gran fiesta en las que todos participaban. A este animal se le conocía como "el gorrinillo de San Antón"

1.369. En San Antón, las cinco y con sol

El día empieza ya a crecer.

1.370. Por San Antón, gallinita pon, y por la Candelaria, pone la buena y la mala

Con la llegada de tiempo más templado, las gallinas comienzan a poner huevos.

1.371. Para San Antón, ninguna niebla llega a las dos (de la tarde)

1.372. El día de la Ascensión, cuaja la almendra y el piñón, y el día de San Juan acaban de cuajar
Aunque la Ascensión es una fiesta móvil, suele caer en mayo y San Juan es el 24 de Junio.

1.373. Por San Atilano, la vendimia en la mano
Por celebrarse este santo a primeros de octubre.

1.374. Sólo se acuerdan de Santa Bárbara cuando truena
Esta santa es la protectora contra los efectos de las tormentas. Se utiliza también para designar que sólo nos acordamos del peligro cuando lo sentimos cerca.

1.375. Por San Benito echa la capucha, nieve y mucha
Su festividad es el 12 de enero, por lo que es lógico que haya nieve o haga mucho frío.

1.376. Por San Blas, las cigüeñas ya verás, y si no las vieres, año de nieves
San Blas es el día 3 de febrero. Las cigüeñas vuelven de Africa para pasar el tiempo de primavera y verano en España, y por esta época aparecen en nuestros campanarios. Simbolizan la llegada del buen tiempo, y si no se las ve por estas fechas, es de suponer que el invierno se prolongará.

1.377. San Bernabé quita la mosca el buey, y al borrico le hace peer

A principios de junio, las animales de labranza y carga, sienten ya los efectos del calor.

1.378. Por Santa Catalina, recoge tu oliva

En el mes de noviembre

1.379. Por Santa Catalina, sube el aceite a la oliva

Porque ya están maduras.

1.380. Por Santa Cecilia, nieve hasta la rodilla

Se celebra el 22 de noviembre.

1.381. Tres jueves hay en el año que relucen más que el sol: Jueves Santos, Corpus Christi y el día de la Ascensión

Estas tres festividades se celebran todas en jueves, aunque son fiestas móviles, y estaban consideradas como unas de las más importantes del calendario cristiano.

1.382. Si quieres tener pollitos el Día del Señor, echa la gallina el Día de la Ascensión

Indica el período de incubación, que es de veintiún día, exactamente los que van entre una y otra fiesta.

1.383. Para San Isidro se igualan los trigos

Para el 15 de mayo, los trigos se presentan crecidos y todos por igual.

1.384. Agua en San Juan quita vino y no da pan
Las tormentas de junio, no son beneficiosas para los cultivos de las viñas y del trigo.

1.385. De San Juan hasta Navidad, medio año va

1.386. En el mes de San Juan, al sol se cuece el pan
Hace ya calor si junio viene como tiene que venir.

1.387. No te quites el gabán, hasta que llegue San Juan

1.388. Por San Juan, brevas comerás
Los higos están en sazón y listos para comer.

1.389. San Juan llegó y todo lo secó
Refiriéndose al calor que suele hacer.

1.390. Por San Lucas, bien saben las uvas
Por celebrase en la primera quincena de octubre.

1.391. En San Marcos, el melonar ni nacido ni por sembrar
Aconseja que, unos días antes de este santo, en abril, tener sembrada esta planta.

1.392. En San Marcos, se llenan los charcos
Por ser el mes de abril, es de suponer que las lluvias serán abundantes.

1.393. Por Santa Margarita, la lluvia más que dar, quita

Las lluvias de mediados de julio, son perniciosas para el campo.

1.394. A todo cerdo le llega su San Martín

En su sentido directo, como ya hemos visto en el refrán de San Andrés, señala que es la mejor época para la matanza, pero se utiliza también, con ironía, para designar que a todos, tarde o temprano, nos llega nuestra hora, o que la vida se encargará de ajustar cuentas con los que no han obrado bien.

1.395. Agua por San Mateo, puercas vendimias y gordos borregos

Cuando llueve a finales de septiembre, las labores de recogida de las uvas se hacen muy dificultosas.

1.396. En San Matías, se igualan las noches con los días

1.397. Por San Matías, se van los tordos y vienen las golondrinas

1.398. Por San Matías, entra el sol en las umbrías

Este santo, se celebra a finales de febrero, cuando el invierno decrece en intensidad y se aproxima la primavera. Por ello, en los refranes que hacen alusión a él, se refleja la proximidad de tiempos más bonancibles.

1.399. El pavo por Navidad y el conejo por San Juan

1.400. No es cada día ni Pascua ni vendimia

Nos da a entender, que no todos los días son buenos, ni hay en ellos abundancias de bienes.

1.401. Quién no estrena el Domingo de Ramos, no tiene ni pies ni manos

La tradición señalaba que en esta fecha había que estrenar algo. El que no lo hacía así, se le suponía sin iniciativa o sin ganas de trabajar, para poder comprarse alguna cosa mueva.

1.402. Por los Reyes lo notan los bueyes y por San Sebastián, el gañán

Ya comienza a notarse mayor luz en los días, y pueden hacerse más labores en el campo.

1.403. En llegando Santiago. pica la uva el pavo

La uvas , a finales de julio, dejan de estar agrias, y el pavo y otras aves, empiezan a picotearlas.

1.404. Por Santiago, el nabo ha de estar sembrado

1.405. Por Santiago, pinta la uva, pinta el melón y pinta el melocotón

Todas están frutas, están ya madurando.

1.406. De Todos los Santos a Navidad es invierno de verdad

1.407. *Los Santos traen la vela y el Ángel se la lleva*

En el mes de noviembre oscurece antes y es necesario alumbrarse, mientras que a partir de la festividad del Angel de la Guarda, a primeros de marzo, los días son más largos y hay más horas de luz..

1.408. *Para los Santos, nieve en los altos*

1.409. *Para San Sebastián, las calabazas al corral*

Es el 20 de enero.

1.410. *A San Simón y Judas, dulces son las uvas*

1.411. *Deja ya en San Silvestre, entinajado el aceite*

El último día de diciembre.

1.412. *Para Santa Teresa, flor en mesa*

Refrán manchego que señala la época de recolección del azafrán.

1.413. *Llegando San Urbano, ya está libre el hortelano*

A finales de octubre dejan de cultivarse las verduras por la llegada del mal tiempo.

1.414. *Por la Virgen del Pilar, el tiempo ha de cambiar*

Capítulo 6.
Refranes religiosos y anticlericales

Capítulo 6.
Refranes religiosos
y anticlericales

Sabido es que, en España, la religión ha ejercido gran influencia, tanto positiva como negativa. Dios, los santos, la iglesia, han marcado la historia, pequeña y grande, de nuestro pueblo, a través de todas las épocas. ¡Y cómo no! donde abunda la religiosidad, verdadera o falsa, abunda también el sarcasmo y la ironía, referida en especial, a la gente del clero, a sus costumbres y usos, no siempre ejemplares, pero que el vulgo ha contemplado con gracejo e imaginación, generando cantidad de refranes, con intención pícara y divertida.

Refranes religiosos

1.415. *A Dios nadie se la hace que no se la pague*
La inexorable justicia divina, según este refrán, alcanza a todos.

1.416. *A Dios rogando y con el mazo dando*
Además de rezar, hay que poner de nuestra parte para conseguir las cosas. Según Correas, quiere decir que nosotros obremos y nos ayudará Dios, y no queramos que nos sustente holgando.

1.417. *A Dios servir y honrar, es reinar*

1.418. *Cada cual lo suyo, y a Dios lo de todos*

1.419. *A quien Dios quiere bien, el viento le junta la leña*
Porque recibe ayudas de todas partes.

1.420. *Al salvo, Dios le salva*
Dios protege al que obra con inocencia y sin maldad.

1.421. *A lo que Dios quiere no hay que asquillarse*
No vale resistirse a los designios del Cielo, porque, por mucho que nos resistamos, se cumplirán igual.

1.422. *A lo que Dios manda, oreja de liebre*
Hay que estar pronto para cumplir los mandatos divinos. La referencia a la liebre, es porque tiene un oído finísimo.

1.423. *Al fin, final, amar a Dios es lo principal, y reírse de todo lo ál*

1.424. *A quien labora, Dios lo mejora*
Siempre echa una mano al que, honestamente, trabaja y se afana en la vida.

1.425. *A quien bien cree, Dios lo provee*
La fe ayuda a sobrellevar las penurias, y en base a esta fe, Dios se ocupa del creyente.

1.426. *A quien con Dios está, Dios no le abandonará*

1.427. *A quien teme al Dios del cielo, nada le asusta debajo de ellos*

1.428 *A toda ley, ama a tu Dios y sirve a tu rey*
Haciendo lo que nos indica este refrán, se cumple, en esta vida, con lo humano y lo divino.

1.429. *A Dios , de rodillas, al rey de pie, y al demonio en el canapé*
Nos indica la pleitesía que hay que rendir a cada uno de ellos.

1.430. *Compañía buena, la de dos: Dios y yo*
El es el único amigo que nunca abandona, ni nunca defrauda.

1.431. *Dios castiga, pero no da voces*
Al igual que:

1.432. *Dios castiga sin piedra ni palo*
El poder de Dios, en premios y castigos, se manifiesta cómo y cuándo El quiere. No necesita ni dar voces ni instrumento alguno, cuando quiere manifestar su ira para con los hombres.

1.431. *Dios da y quita, según su sabiduría infinita*

1.432. *Dios ama el trabajo y aborrece la vagancia*

1.433. Dios hizo el mundo para todos, pero lo hurtaron unos pocos

Es cierto que la Creación a todos pertenece, pero también lo es que, los más astutos o los que carecen e escrúpulos, se lo adueñaron de gran parte.

1.434. Dios medirá a los malos medidores; y gobernará a los malos gobernadores

Aun sobre los más inícuos, se extiende el poder de Dios, que tarde o temprano, acaba haciendo justicia.

1.435. Dios queriendo, sin nubes puede estar lloviendo

Ya que El todo lo puede.

1.436. Dios tiene una caña, y al que no pesca hoy, pesca mañana

Como otros refranes, nos señala que la justicia divina se acaba cumpliendo.

1.437. Dios tiene un librito verde, y nada se le borra ni nada se le pierde

1.438. Diólo por Dios y murióse de hambre

Ironía sobre los que dan sin tener en cuenta sus necesidades, o son excesivamente pródigos.

1.439. Dios conmigo, yo con El; El delante, yo tras El

Como debe ser la relación del hombre con la divinidad.

1.440. Dios consiente, más no siempre

1.441. Dios da para todos

1.442. Dios desavenga a quien nos mantenga

Dicho propios de abogados, escribanos y cirujanos que viven de los males de los demás.

1.443. Dios dijo: "Ayúdate, que yo te ayudaré"

Refrán que pone de manifiesto que Dios echa una mano a aquellos que trabajan y buscan el bienestar por su propio esfuerzo.

1.444. Dios da el mal y la medicina

Señala que cuando llega un problema, una enfermedad o una aflicción, Dios da también fuerzas para salir de ello.

1.445. Dios delante, el mar es llano

No existe dificultad, por grande que sea, que no pueda vencerse con la ayuda de Dios.

1.446. Dios envía su rocío sobre buenos y malos todos los años

Indica que Dios protege a todos por igual, proporcionándoles los mismos dones. Otra cosa es, lo que cada uno haga con ellos.

1.447 Dios es grande y misericordioso

Se dice confiando en su poder. (Textual Correas)

1.448. Dios es santo viejo

A Dios no se le puede engañar y lo sabe todo.

1.449. Dios hace reyes y los hombres leyes

1.450. Dios haga lo demás

Se suele decir, cuando ya se ha hecho todo lo posible, y el resto se encomienda a la Providencia.

1.451. Dios hará merced, más diligencia quier

1.452 Dios llueve sobre justos y pecadores, días y noches

Confiesa la misericordia y bondad de Dios y aconseja que, pues El nos sufre, nos toleremos los unos a los otros con paciencia.

1.453. Dios me guarde del agua mansa, que yo me libraré de la brava

Contra los santurrones e hipócritas. que engañan con sus buenas apariencias, porque, de los que parecen peligrosos, intenta uno protegerse.

1.454. Dios me de contienda con quien me entienda

Por llegar a soluciones negociadas.

1.455. Dios nos dé paz y paciencia, y muerte con penitencia

Para vivir una vida tranquila y morir en gracia de Dios y alcanzar el cielo.

1.456. Dios no se queja, más lo suyo no lo deja

1.457. Dios nos libre y guarde de lo que no nos sabemos librar ni guardar

Porque nos proteja de todo tipo de peligros en los que caemos por inconsciencia o porque no los advertimos en su momento.

1.458. Dios nos tenga de su mano en invierno y en verano, y en todo tiempo del año

1.459. Dios que nos tiene acá, nos dará qué comamos y vistamos

Confianza plena en que Dios se ocupará de nuestras necesidades más básicas.

1.460. Dios sabe lo mejor

Suele decirse con resignación, cuando no logramos lo que pretendemos o se nos malogra algún asunto en el que hemos puesto gran interés.

1.461. Dios te dé bienes, y casa en que los eches

1.462. Dios te de salud y gozo, y casa con corral y pozo

Las casas con corral y pozo, eran consideradas las mejores, por tener lo que más servicio hacía en la vida del labrador.

1.463. Dios te libre de hombre con librete y de mujer con gañivete

Gracioso refrán que se refiere a los hombres de librete como los antiguos cobradores de los impuestos reales que arramblaban con todo. En cuanto a la mujer de gañivete, se trata de la mujer desvergonzada, o excesivamente desenvuelta. Gañivete o cañavete, viene a significar cuchillo.

1.464. *Dios te guarde de la delantera de viuda, y de la trasera de mula, y de lado de un carro, y del fraile de todos cuatro*

Refrán burlesco, que define los lados o costados, de los que ha de librarse el hombre para no estar en peligro.

1.465. *Dios te guíe y a mi no me olvide*

1.466. *Dios te socorra con la noche, que el día, él se vendrá*

Se le dice al que bosteza de sueño y se está durmiendo

1.467. *Dios todo todo lo ve y lo oye, y da lo que conviene al hombre*

1.468. *Dios y el mundo no puede andar juntos*

Se supone que el mundo está lleno de tentaciones y peligros que nos alejan de los designios de Dios.

1.469. *El cuerpo santo y el alma con el diablo*

Contra los hipócritas.

1.470. *El que esté libre de pecado, que tire la primera piedra*

Aunque es una frase del Evangelio, su uso y su significado es tan común, que forma parte del habla popular. Nos señala que todos, sin excepción, tenemos y cometemos faltas y qué no somos quienes para reprender o juzgar a los demás.

1.471. *En chica hora, Dios obra y mejora*

Si Dios así lo quiere, en un momento, mejora la suerte de los humanos.

1.472. *En dar ceniza y lana, Dios la mano iguala*

Tiene el mismo significado de: "No da Dios más frío, más de lo que uno anda vestido" y "En dar nieve y lana, Dios la mano iguala". Quiere decir que Dios no da más trabajo o más penas de las que se pueden soportar.

1.473. *Estar entre la cruz y el agua bendita*

Estar en un peligro tan grande que no parece que se pueda escapar de él si no es por un milagro.

1.474. *En la mayor necesidad, Dios te acudirá*

Hay que tener confianza, porque nunca nos deja en total desamparo.

1.475. *Empieza con sana voluntad y Dios te ayudará*

1.476. *Falta confesada, medio enmendada*

Cuando uno reconoce sus errores y se arrepiente de ellos, está en el buen camino de no volverlos a cometer.

1.477. *Fuera de Dios, todo engaños son*

¡Y es que el mundo está lleno de falacias!

1.478. *Gente pone y Dios dispone*

De sentido similar a: "El hombre propone y Dios dispone", nos indica que los propósitos humanos nada pueden contra los de Dios ¡que siempre es El que tiene la última palabra! Otro refrán de igual contenido es: "Hombre piensa y Dios dispensa"

1.479. Irse el santo al cielo

Se emplea para señalar que uno está tan abstraído, que no se da cuenta de nada.

1.480. Líbrenos Dios de delito contra las tres Santas: Inquisición, y Cruzada y Hermandad

Gracioso refrán que alude a los tres grandes poderes, que en España, desde el siglo XV, hasta bien entrado el XIX, causaron estragos entre la población.

1.481. Líbrete Dios de juez con leyes de encaje, y de enemigo escribano y de cualquier de ellos, cohechado

¡Sin duda hay que invocar la protección divina, si se cae en manos de juez excesivamente riguroso, o de un escribano que redacte en tu contra, y de ambos si están vendidos!

1.482. Lo que Dios al justo da, para el hijo y el nieto alcanzará

En el sentido de que Dios da al bueno, dones abundante y duraderos.

1.483. Lo que Dios atrasa, El se lo alcanza

Al parecer de los hombres se les ofrecen impedimentos en sus pretensiones y quedan atrás de otros, y como tengan paciencia y se funden en justicia, por el camino que no piensan, Dios los adelanta y premia. (Textual Correas)

1.484. Lo que Dios quiere que sea, El se lo menea y rodea

1.485. Lo primero y principal, es oír misa y almorzar, y si corre mucha prisa, almorzar antes que a misa

Ironía que antepone lo material a lo espiritual.

1.486. Llegar y besar el santo

Se usa este refrán a cuando se consigue una cosa con suma facilidad y rapidez.

1.487. Más hechos, y menos golpes de pecho

Hay que obrar y hacer el bien, y no estar, continuamente, arrepintiéndose y dándose golpes de pecho.

1.488. Más vale no pecar, que a menudo confesar

Tiene un sentido parecido al anterior. Es mejor no pecar y llevar recta vida, que andar en siempre, en actos de contricción.

1.489. Más vale un pan con Dios, que dos sin El

1.490. Misa ni dar cebada no estorban jornada

Da a entender que tanto la asistencia a misa como la caridad, no ocupan tiempo, y el que ocupan es el mejor empleado.

1.491. Misas son de salud

Antigua refrán que Correas explica de la forma siguiente: Dícese por las maldiciones y deseos de que alguno muera, porque antes vive y dura más, castigando los impíos deseos..

1.492. Ni sobre Dios señor, ni sobre negro color

No hay que anteponer nada ni nadie, a Dios, así como tampoco queda bien, poner color ante algo tan contundente como el tono negro.

1.493. Ni teme a Dios ni al mundo

Se aplica a aquellos que son muy atrevidos y osados. O también a los que no respetan nada.

1.494. Nadie es profeta en su tierra

Proviene del Evangelio, y quiere significar que, generalmente, se reconocen más los méritos y bondades, fuera de la tierra de uno que no entre sus iguales o conciudadanos.

1.495. No hiere Dios a dos manos, que a la mar hizo puertos y a los ríos vados

Dios, en su infinita misericordia, a todo da solución y ayuda.

1.496. No hizo Dios a quien desamparase

1.497. No es santo de mi devoción

Se dice cuando algo o alguien, no nos gusta.

1.498. No me hagas pecar, que vengo de confesar

Con sentido irónico, se aplica a los que muestran escrúpulos en cosas leves y no los tienen para otras más graves.

1.499. No me llama Dios por este camino

Cuando uno toma estado diferente al que le aconsejan y se acomoda a otros menesteres.

1.500. No sirven sermones al que tiene malas inclinaciones

Es difícil convencer y más, convertir mediante sermones, al que no tiene buena predisposición.

1.501. No tengo más Dios ni más Santa María, que salirme con la mía

¡Podría ser la jaculatoria de los muy obstinados!

1.502. No voy a la iglesia porque estoy cojo, pero si a la taberna poquito a poco

Se explica por sí mismo, ¡ y podríamos aplicárnoslos todos nosotros! ya que más nos tiran los placeres del mundo que los de Dios!

1.503. Nunca es más grande el hombre que cuando está de rodillas

Orando ante la Divinidad.

1.504. Oración devota, breve y a menudo, penetra en los cielos

Porque éstas son las características del buen rezo.

1.505. Oraciones quebrantan pronósticos

Rogando a Dios, se alcanza todo aquello que a los ojos humanos, a veces, parece imposible de conseguir.

1.506. Pagar justos por pecadores

Con frecuencia, sucede en la vida, que son los inocentes los que cargan con las culpas de los que no lo son.

1.507. Primero es Dios que todos los santos

Además de su sentido directo, indica que primero son y están los superiores y después ¡todos los demás!

1.508. Primero es la obligación que la devoción

1.509. Quien con su suerte se conforma, Dios le honra
Porque es paciente, no es ambicioso y Dios se acordará de él cuando le necesite.

1.510. Quien dice la misa despacio, quita la devoción a quien la oye; quien la dice aprisa, quítala a sí mismo
En el primer caso, porque aburre al oyente y en el segundo, porque no presta ni atención ni devoción a lo que hace.

1.511. Quien mal piensa, mal dispensa y mal le da Dios

1.512. Quien yerra y se enmienda, a Dios se encomienda
Porque existe en él, el buen propósito de no volver a errar o pecar.

1.513. Reniego de quien en Dios no cree, y lo va a decir en concejo
Contra los ateos que, además, alardean de ello.

1.514. Saca tu cruz a la calle y verás otra más grande
Bien cierto es que, los pesares propios, nos parecen los más grandes y dolorosos, pero , a poco que busquemos, siempre los encontraremos peores que los nuestros.

1.515. Si ello está de Dios, El lo hará y El lo acabará

1.516. Siempre Dios ayuda a los suyos; si a los suyos ayuda el diablo, es para su daño

1.517. Ser bueno lo manda Dios, y aparentarlo es mejor

Es muy conocido el refrán que dice :"Además de ser bueno, hay que parecerlo". Este tiene un sentido prácticamente igual, aunque no hay que olvidar, que, si las apariencias son importantes, lo fundamental es el fondo.

1.518. Tal me la depare Dios

Cuando se desea una cosa buena y se invoca para que se nos conceda.

1.519. Tener más razón que un santo

¡Cuando se tiene la razón de forma absoluta!

1.520. Tiene la bendición de Dios

Enfática manera de decir que tiene bienes, y con ironía y con mohína por maldición . (Textual Correas)

1.521. Todo es como Dios quiere, más no como debe

Este refrán se dice también: "Todo está como Dios consiente, más no como debe"

Y da a entender que Dios hace bien las cosas, pero que el gobierno de los hombres y lo que ellos hacen, no siempre es lo bueno y lo justo.

1.522. Todo lo cría Dios, hasta calabazas sin costura

En referencia a los bobos y mentecatos.

1.523. Una cosa es predicar y otra dar trigo

Sobre los que mucho hablan y prometen, pero no dan nada.

1.524. Vaya con Dios, que un pan me lleva

Cuando hacemos de la necesidad virtud y nos consolamos.

1.525. Vino Dios y obró

Cuando sucede algún bien y remedio.

1.526.¿Vos, qué decís? - Qué Dios es bueno y que tiene ancho el ruedo

Se emplea, en tono burlesco, cuando no se quiere contestar a una pregunta concreta y se da una respuesta en forma de evasiva.

Refranes anticlericales

1.527. Abad de aldea, mucho canta y poco medra

Ya que las aldeas son pobres, y por mucho que se esfuerce el abad, ¡poco hay que rascar!

1.528. Abad avariento, por un gorrión o bodigo, pierde ciento

Cuando es muy interesado el cura, pierde la amistad de los feligreses y la ofrenda de todo el año.

1.529. Abad y gorrión, males aves son
Porque de todo picotean.

1.530. A caballo va el obispo
Y no otros clérigos menores. Indica que cada cuál debe ir como corresponda a su clase.

1.531. A cual mejor, confesada y confesor
Ser tal para cual.

1.532. A cura nuevo, sacristán viejo
Así el sacristán podrá enmendar aquello que el cura aún no conozca bien por su inexperiencia.

1.533. A Dios rogando y negociando
Se dice de muchos eclesiásticos que están más atentos a los negocios temporales que a los espirítuales.

1.534. A Dios y al rey, pedir y volver
Porque se supone que su generosidad no se agota así como así.

1.535. A fraile y gente ordinaria, amén y vaya

1.536. A la lumbre y al fraile, no hay que hurgarle; porque la lumbre se apaga y el fraile arde

1.537. A la puerta del rezador, no pongas tu trigo al sol, porque rezando, rezando, se lo irá llevando

1.538. A los mujeres, ciegos y frailes, los mosquitos parecen elefantes

Por considerarlos simples y crédulos, con capacidad para admirarse de cualquier tontería.

1.539. A los bobos y los pastores, se les aparece la Virgen

Se emplea para señalar que la fortuna sonríe a los que menos la buscan o la merecen.

1.540. A medida del santo son las cortinas

Da a entender que no hay que fiarse de las alabanzas que uno mismo se hace para dar a conocer sus virtudes y atributos, cuando éstas están a la vista y son de sobra conocidas.

1.541. A mal abad, mal monacillo

También se dice en otras acepciones:"A mal abad, peor sacristán", "A mal monje, mal calonge", "A ruín abad, ruín monacillo". Tienen el significado común de tal para cual y también que así como son los superiores así son o se comportan los inferiores.

1.542. A mal Cristo, mucha sangre

Se aplica a las obras artísticas y literarias, que a falta real de mérito, emplean, de forma abusiva, aquellos medios que más pueden gustar al vulgo.

1.543. A manos lavadas, Dios las da de comer

Dios socorre a los inocentes y a los que tienen las manos limpias de malas acciones.

1.545. *A pecado nuevo, penitencia nueva*

1.546. *A putas y ladrones, nunca les faltan devociones*
Es muy común que los que más culpas acumulan, y sin dejar de pecar, sean los que más rezan o más devotos son.

1.547. *A quien anda alrededor del altar, nunca le falta el pan, que prieto que candeal*
Clara referencia a que el clero, siempre tiene qué comer y tiene abundancia de variados bienes.

1.548. *A quien Dios se la da, San Pedro se la bendiga*
¡Cuando viene un problema, no hay más remedio que apechar con él!

1.549. *A quien tiene más plata, quiérele más la beata*

1.550. *A santo que come y bebe, otro le rece*
¡Por ser más del mundo que del cielo!

1.551. *A santo que no me agrada, ni padrenuestro ni nada*

1.552. *Abad que fue monacillo, bien sabe quien se bebe el vinillo*
Viene a ser lo mismo que: "Cocinero antes que fraile". El que de inferior pasa a un cargo superior, conoce bien las triquiñuelas que se tejen entre los de abajo.

1.553 *Abad sin ciencia y conciencia, no le salva la inocencia*
Ya que debe tener las dos cosas.

1.554. *Abades, rocío de panes*

Donde está el abad, está la abundancia.

1.555. *Abadesa de poca edad, nunca buena con abad*

Por ser muchas las tentaciones que se pueden sentir, dando al traste con el voto de castidad.

1.556. *Abeja, oveja y parte de la igreja* desea a su hijo la vieja*

La carrera eclesiástica, las colmenas y el ganado, son fuentes de abundancia y riqueza, proporcionando bienestar y comodidades.

1.557. *Al abad y al judío, dáles el huevo y pedirán el tocino*

Por considerarlos insaciables en sus pretensiones.

1.558. *Al fraile y al cochino no hay que enseñarles más que una vez el camino*

Enseguida lo aprenden y en el caso del fraile, irá de contínuo a pedir.

1.559. *Al niño y al fraile, que les dé el aire*

Tenerlos lejos para vivir tranquilos.

1.560. *Amor de monja, fuego de estopas y viento de serojas**

Significa que ninguna de las tres cosas, vale para nada y que tan pronto son cómo no son.

*igreja por iglesia
* serojas son las hojas secas que caen de los árboles

1.561. Amor de ramera, halago de perro, amistad de fraile y convite de mesonero,no puede ser que no te cueste dinero

1.562. Ande quiera que vayas, estáte a bien con las sayas
Es conveniente, en cualquier lugar, tener de tu parte a las mujeres y los curas.

1.563. Báculo de oro, obispo de madera
Antiguo refrán satírico que se inventó contra el lujo del clero, destacando que a mucho amor por el boato, corresponden obispos o clérigos que nada valen en el terreno espiritual.

1.564. Beata de condición, la cara santita y el rabo ladrón

1.565. Beatas, el diablo las arrebata
Se aplica a aquellas personas que olvidan que primero es la obligación que la devoción.

1566. Beato quien tiene; maharón quien demanda
Del Marqués de Santillana, viene a decir, que el que posee, es afortunado, e infeliz, aquel que tiene que ir pidiendo.

1.567. Bendita aquella casa que tiene corona rapada
En referencia a la tonsura que antes llevaban los clérigos. Señala que en la casa en la que había un eclesiástico, nunca faltaba qué comer.

1.568. Beato y tuno, todo es uno

1.569. Beatos embusteros, rosario al cuello, esos engañan a Dios primero

Censura a los que practican un fervor hipócrita, asistiendo a todos los actos religiosos y haciendo ostentación de ello, mientras que su vida, no está en consonancia con estos hechos.

1.570. Bien está San Pedro en Roma

Sirve para indicar que se está bien donde se está, rechazando cualquier proposición de cambio.

1.571. Bien se puede sentar quien a monjas ha de esperar

Las monjas son sumamente meticulosas en todo lo que hacen, por lo que tardan mucho y son muy despaciosas.

1.572. Boca de fraile, sólo para pedir se abre

1.573. Bonete y almete hacen cosas de copete

En referencia a la carrera eclesiástica y la carrera de las armas, ya que el bonete era el tocado de los clérigos y el almete era una pieza de la antigua armadura de caballero, destinada a cubrir la cabeza.

1.574. Bueno está el cura para sermones

Al igual que :"No está el horno para bollos", refleja, con ironía, que no es el momento más adecuado para hacer o decir, determinadas cosas.

1.575. *Bula, que sacan prendas*

Cuando las bulas se vendían, en aldeas y pueblos con poco dinero, si no se podían comprar en efectivo, se tomaban fiadas. Al no poderlas pagar, se tomaban prendas a cuenta de ellas. En su acepción más actual, recomienda no arriesgarnos a ganancias peligrosas, no vaya a ser que, por codicia, se pierda todo.

1.576. *Cabe señor y cabe igreja, no pongas teja*

Como ya hemos visto en un refrán anterior, igreja por iglesia. Aconseja no poner la casa cerca de vecinos poderosos por los daños que su mediación pueda ocasionar.

1.577. *Cada santero pide para su ermita*

1.578. *Cada santero pide para su garguero*

Porque suelen pedir más para comer y beber ellos, que para su santo.

1.579. *Caer en el mes del obispo*

Ser el momento o el tiempo oportuno para conseguir lo que se desea.

1.580. *Cantar en la iglesia y llorar en casa*

Sobre los que manifiestan, exteriormente, una alegría o un bienestar, que están muy lejos de poseer.

1.581. *Casa de Dios, casa de todos*

Se supone que la iglesia está abierta a todo el mundo. Según un copla popular, es una de las cuatro casas que tiene el pobre: "Cuatro casas tiene abiertas/ el que no tiene dinero/ la cárcel, el hospital/ la iglesia y el cementerio"

1.582. *Clérigo de noche, villano en gavilla y gitano cortés, lejos de los tres*

1.583. *Clérigo, fraile y judío, no los tengas por amigos*

1.584. *Clérigos, frailes y monos, quien ha visto a uno, los ha visto a todos*
Por estar cortados con el mismo patrón.

1.585. *Clérigos y cuervos, huélganse con los muertos*

1.586. *Con abadesa de poca edad, nunca bien la comunidad*
Ya que no tendrá experiencia ni paciencia para gobernar el convento.

1.587. *Con militares, frailes y gatos, pocos tratos*

1.588. *Con putas y frailes , ni camines ni andes*

1.589. *¿Con pecado y con dinero? Guárdeos Dios de abad manchego*
¡Porque impondrá penitencias, que os dejarán limpios de ambas cosas!

1.590. *Con una misa y un marrano, hay para todo el año*
Aunque suele añadirse con sorna, que sobra misa y falta cerdo.

1.591. *Confesar a monjas, espulgar a perros y predicar a niños, es tiempo perdido*

1.592. *Cuando el abad está contento, lo está todo el convento*

1.593. *Cuando toma cuerpo el diablo, de disfraza de fraile o de abogado*

1.594. *Cuerpo harto a Dios alaba*

1.595. *Dios da nueces al que no tiene dientes*
Parece que, siempre, reciben los dones aquellos que no saben aprovecharse de ellos.

1.596. *Dios inventó la balanza y el demonio la romana**
El hizo el equilibrio, la justicia y la equidad. ¡Y el demonio creó la romana, con la que se pueden hacer trampillas en el peso!

1.597. *Doce fueron los que Cristo escogió, y uno lo vendió; otro lo negó y otro no lo creyó*
En referencia a los Apóstoles, en concreto a Judas Iscariote, San Pedro y Santo Tomás, señala que, si ellos que fueron los elegidos cayeron en falta, ¡qué no haremos los demás!

1.598. *¿De dónde salen las misas?*
Se aplica este refrán, con ironía, a aquellas personas que no se sabe de que viven, o que no tienen ni oficio ni beneficio.

*Romana= Instrumento para pesar, compuesto de una palanca de brazos desiguales, con el fiel en el punto de apoyo.

1.599. De fraile halagüeño y médico andariego, guarda tu alma y tu cuerpo entero

El fraile debe ser serio y reservado y el médico debe estar en casa para atender a los pacientes. Si ni el uno ni el otro cumplen con estos requisitos ¡mal fraile y mal médico!

1.600. De los curas y los mulos, cuanto más lejos, más seguros

1.601. Del fraile toma el consejo, no el ejemplo

1.602. Del Papa, del rey y de la Inquisición, chitón

Por ser estos grandes poderes, es mejor andarse con tiento y no hablar mal de ellos, por los muchos males que pueden alcanzar a los que lo hagan.

1.603. Dios me guarde de truchas con pies

De las personas que son listas y astutas , pero con malas intenciones.

1.604. Dios proveerá, decía el cura. Y arrastraba la mula

Mientras que llega la generosidad divina, por si si o por si no, el cura se lleva lo que encuentra a su paso.

1.605. Dos cosas no se pueden saciar: los frailes y el mar

1.606. El consejo del viejo frailuco: "Hay que ser cuco"

Por se listo y espabilado.

1.607. *El trabajo del cura: media hora de misa, su trago de vino, comer a su hora y siesta segura*

Ironiza sobre los quehaceres del cura, que suponen una buena y cómoda vida.

1.608. *El abad ¿dónde canta? donde yanta*

Se entiende que sólo trabaja allí donde le pagan.

1.609. *El clérigo y el fraile, al que han de menester llámanle compadre*

Cuando necesitan de alguien, no les importa festejarle y llamarle amigo.

1.610. *El corazón en Dios y la mano donde se pueda*

Refrán burlesco sobre los que dicen amar a Dios y.¡andan "pirateando" acá y allá!

1.611. *El fraile y la caballería van al pesebre sin guía*

Se van directos, sin necesitar a nadie que les lleve, allí donde saben que está su comida.

1.612. *El hábito y la capilla no hace monje*

Porque las apariencias engañan y no conviene fiar en ellas.

1.613. *El muerto en el cementerio y el fraile en el monasterio*

Cada uno en su lugar.

1.614. *En conventos y comunidades, nunca enseñes tus habilidades*

¡Porque, una vez mostradas, no pararás de ejercerlas!

1.615. *El predicador siembra, y el confesor recoge*
El efecto de los sermones, excita el arrepentimiento y por lo tanto la confesión.

1.616. *El que anda entre santos, no come cantos*

1.617. *El sermón y el salmón, en la Cuaresma tienen sazón*
Es la mejor época para ambos y cuando más se prodigan.

1.618. *En santo y santa que mea, nadie crea*

1.619. *Entre santa y santo, pared de cal y canto*
Por aquello de evitar tentaciones.

1.620. *Ese sabe de misa la media*
Se dice cuando uno no está enterado del asunto del que se trata.

1.621. *Fianza, fraile y francés, tres "efes" de las que Dios nos guarde*

1.622. *Fraile de buen seso, guarda lo suyo y come lo ajeno*

1.623. *Fraile pidón y gato ladrón, ambos cumplen con su misión*

1.624. *Fraile que su regla guarda, toma de todos y no da nada*

1.625. *Frailes, aun los buenos, los menos*

1.626. Frailes, palomas, reyes y gatos, todos son ingratos

1.627. Frailes ya en este mundo, los premia Dios, porque no pasan hambre, ni frío ni calor

1.628. Gente de sotana, logra lo que le da la gana
El poder que ha tenido, y tiene, la iglesia, hace que este refrán sea cierto en gran medida.

1.629. Guárdete de fraile y de can, que de estar atado sale
Porque salen desaforados, con ganas de hacer ¡y deshacer! todo lo que han tenido que aguantarse en los tiempos de atadura.

1.630. Haragán como un monje
Porque solían ir antaño, sucios y malvestidos.

1.631. La abadesa más segura, la de edad madura
Tiene experiencia, y está ya alejada de las vanidades del mundo, así como de las tentaciones de la carne.

1.632. La barba del clérigo, rapada renace
Nunca le falta de que vivir, aunque pase alguna época de pobreza.

1.633. La misa y el pimiento son de poco alimento

1.634. La monja y el fraile, recen y callen
Aconseja que estén en sus labores espirituales y que no se entrometan en los negocios del mundo o de los seglares.

1.635. La procesión va por dentro

Aunque a veces se ponga buena cara, es muy común que, por dentro, anden las preocupaciones y los problemas sin dejar que afloren al exterior.

1.636. La que mucho visita las santas, no tiene telas en las estacas

La que mucho va a la iglesia, suele tener la casa desatendida.

1.637. Largos sermones, más mueven los culos que los corazones

Porque aburren, y la gente anda inquietos deseando que acabe de una vez..

1.638. Llegar al humo de las velas

Además de señalar que se ha llegado tarde a misa, significa también que se ha llegado tarde a cualquier otro asunto.

1.639. Lo que no puede nadie, lo puede el fraile; lo que no puede un fraile, lo pueden dos; lo que no pueden dos, no lo puede ni Dios

1.640. Los frailes en jubón, hombres son

Su condición de frailes, no quiere decir que estén exentos de las mismas debilidades que el resto de los humanos.

1.641. *Los frailes entran sin conocerse, viven sin amarse y mueren sin llorarse*

De la vida en las comunidades religiosas.

1.642. *Monja arrepentida no hay peor vida*

1.643. *Monjitas que te regalan un roscón, pescar quieren trucha con un camarón*

Ya que de lo poquito quieren sacar mucho más.

1.644. *Mujer devota, no la dejes andar sola*

Porque con el asunto de la devoción, no siempre va a la iglesia , y si siempre está en ella, también corre el peligro de caer en las redes de monjes, frailes o curas.

1.645. *Nadie le reza a un santo si no es para pedirle algo*

De lo muy interesados que somos todos, tanto en el plano de la devoción como en asuntos materiales.

1.646. *Ni buen fraile por amigo, ni malo como enemigo*

1.647. *Niña, si quieres ventura, tómale clérigo que dura; el casado se va a su casa, y el que es soltero se casa, y el fraile también se muda; tómale clérigo que dura*

Aconseja tomar por amante a un cura, con la seguridad de que nunca ha de faltarle, mientras que hombres de otras condiciones no son tan fiables y duraderos.

1.648. No se acuerda el cura de cuando fue sacristán

Ironiza sobre los que acceden a una mejor situación y se olvidan de sus orígenes.

1.649. O ama de cura o reina de España

Pondera la buena vida que, por lo general, se dan las amas de los clérigos, ¡sólo comparable a la de las reinas!

1.650. O casallos o capallos

En referencia a lo que hay que hacer con los curas, en plan malévolo.

1.651. Obispo de anillo, caudal al dedillo

De lo bien que se vive cuando se accede a esta dignidad.

1.652. Obispos y abriles, son los más ruínes

1.653. Oir misa, con intención basta

1.654. Palabras de santo, uñas de gato

Contra los hipócritas

1.655. Por el milagro se alaba al santo

Según son las obras, así se tiene en consideración al que las hace.

1.656. Por las faldas del vicario, sube la moza al campanario

Ironiza sobre los amores y devaneos de mozas con la gente de sotana.

1.657. Pues el clérigo la mantiene, bodigos tiene

Bodigos: pan

Ironiza sobre la que es ama o amante de un cura, tiene el pan y la manuntención asegurada.

1.658. Puta primaveral, alcahueta otoñal y beata invernal

Lo que es la mujer en las diferentes etapas de la vida.

1.659. Quien dijo fraile, dijo alforja y grande

1.660. Quien entra en frailía, de muchos males se desvía

Tanto de los males del espíritu como de la pobreza de la vida.

1.661. Quien lleva las obladas, que taña las campanas

Enseña que el que se aprovecha de la utilidad, debe llevarse también el trabajo.

1.662. Quien quiere traer gente a su ermita, se hace milagrero

1.663. Quien tiene pie de altar, come sin amasar

1.664. Regla, de agustinos; coro, de jerónimos; hábito, de benitos; casa, de bernardos; mesa, de franciscanos y púlpito, de dominícos

Destaca cuáles son las mejores cosas de cada orden religiosa.

1.665. Reniego del sermón que acaba en daca

El que termina pidiendo dinero.

1.666. *Rezar al santo hasta pasar el charco, y el charco pasado, santo olvidado*

Encierra una gran verdad. En el peligro y en los apuros, todos nos encomendamos a los santos y prometemos mil cosas, ¡pero, una vez pasado, nos olvidamos de los votos pronunciados!

1.667. *Río, rey y religión, tres malos vecinos son*

El río por la humedad, el rey y el convento porque molestan con sus tropas y acucian con sus peticiones de limosnas.

1.668. *Rollizo como un canónigo*

Se dice por la fama que tuvieron, en tiempo los canónigos, de darse buena vida.

1.669. *Romería de cerca, mucho vino y poca cera*

Da a entender que, a menudo, se toman por pretexto las devociones para la diversión y el placer.

1.670. *Sacristán que vende cera, y no tiene colmenar, volaverunt del altar*

¡Evidentemente, es que la ha robado!

1.671. *San Para mi; que los santos no comen*

Contra los que piden en nombre de los santos y las devociones, y se lo embolsan tranquilamente.

1.672. *Santo, santo, pero no tanto*

Que en todas las cosas se exagera.

1.673. Seis horas cantando, seis comiendo, seis paseando, seis durmiendo y las demás estudiando
Esta era la vida de los frailes.

1.674. Ser menester la cruz y los ciriales
Se dice cuando hay que hacer muchas diligencias para lograr un negocio.

1.675. Sermón, discurso y visita, media horita

1.676. Si quieres pasar un mes bueno, mata puerco; si un buen año, toma estado; si vida envidiable, metéte a fraile

1.677. Si sale con barbas, San Antón; y si no la Purísima Concepción
Este refrán se aplica, con gracia, a cuando se realiza alguna obra, más bien, alguna chapuza, queriendo señalar que salga como sea.

1.678. Si se te olvida el sermón, echa mano a la Pasión
Porque en ella, siempre hay tema suficiente.

1.679. Sin dinero, no te dirán padrenuestros

1.680. Sol madrugador y cura callejero, no puede ser bueno
El primero porque nos hace levantar demasiado pronto, y el segundo, porque ha de estar en su iglesia y en sus devociones y no rondando por ahí.

1.681. *Teja de iglesia, siempre gotea*

Una iglesia por pobre que sea, según este refrán, siempre da para comer al cura y sus allegados.

1.682. *Tener apariencia de ermita y honores de catedral*

Se dice de lo que en apariencia es poca cosa y en el fondo vale mucho, y también del que pretende, siendo poco, que se le tenga en mucho.

1.683. *Tener más letra menuda que un breviario*

Equivale a tener mucha picardía, como tener más recursos que un misal.

1.684. *Trabajar para el obispo*

Da a entender que el trabajo que realizamos, no alcanzará ninguna recompensa.

1.685. *Tres cosas hacen salir de su casa al aldeano: procesiones, toros y personas reales*

1.686. *Tres cosas renuncia el fraile: frío, sed y hambre*

1.687. *Un convento da un limón, pero a cambio de jamón*

Cuando dan algo, es porque esperan recibir muchísimo más.

1.688. *Un jesuíta y una suegra, saben más que las culebras*

De la proverbial astucia de los jesuítas y suegras, que saben más que la serpiente, de la que la Biblia dice que es animal más listo.

1.689. Una cosa es alabar la disciplina y otra darse con ella

1.690. Vale más un novicio vivo, que un obispo muerto

1.691. Veinte años de puta y dos de beata, y cátala santa
De las que han llevado muy mala vida, y creen que un último arrepentimiento ya tienen abiertas la s puertas del Cielo.

1.692. Vivir en frente del cura no es cordura, que como no tiene en casa quien le dé pena, espeta los ojos en la ajena

1.693. Viña de frailes, mal podada y mal cavada, pero bien vendimiada y rebuscada
Porque les gusta poco trabajar, pero si recoger el fruto.

1.694. Ya que el diablo nos lleve, que sea en coche
Si nos sucede algo malo, por lo menos , tratar de pasarlo de la mejor manera posible.

1.695. Yo me entiendo y Dios a todo

Capítulo 7.

Frases proverbiales

La frase proverbial tiene mucho en común con el refrán, hasta el punto que, con frecuencia, es difícil delimitar donde empiezan unas y donde acaban otros.

De todas formas, quizás la característica más diferenciativa, podría encontrarse en que los refranes son anónimos, mientras que las frases proverbiales suelen tener un orígen histórico o legendario, o han sido pronunciadas por personajes conocidos del mundo de las letras, las artes y las armas.

Muchas de estas frases, son tan antiguas como los refranes, y como ellos, forman parte de las expresiones y el habla común de las gentes.

Aquí, presentamos una selección de las más conocidas y curiosas, detallando un poco su historia y sus acepciones actuales.

• Allí ardió Troya

También suele decirse: Aquí fue Troya. Se utiliza para decir que se armó una gran barahúnda, o un gran revuelo. Posiblemente esta expresión tenga su antecedente en las guerras que mantuvieron los aqueos y los troyanos, y que finalizaron, después de interminables sitios y batallas, con la toma de la ciudad por los aqueos.

• Ama a Dios y haz lo que quieras

Atribuída a San Agustín, obispo de Hipona, gran pecador y gran arrepentido, nos dice que, viviendo en el amor de Dios,no hacen falta más prohibiciones ni más tabúes. Y es que, precisamente ese amor, nos hacer llevar una vida conforme a una ética que respeta a los demás y a nosotros mismos.

• Ama como si hubieses de aborrecer y aborrece como si hubieses de amar

Del filósofo griego Anacarsis. El mundo da muchas vueltas y se mudan las voluntades, por lo que tanto en el amar, como en el odiar hay que ser cautos.

• Ande yo caliente. ¡Y ríase la gente!

Esta graciosa expresión, proviene de una coplilla de Luis de Góngora y Argote. El poeta culterano por excelencia, escribió, también, alegres poesías, muy al nivel del pueblo. ¡Bien cierto es, que, estando uno a gusto , tanto en el plano físico como en el moral, poco importa lo que puedan creer, pensar o decir los demás!

• A Roma por todo

La frase viene de cuando, antiguamente, se cometía algún delito o algún hecho que llevaba aparejada la excomunión. Los Papas, utilizaban este castigo a discreción, unas veces con razón y otras sin ella, y con más frecuencia de la deseable para defender sus muchos intereses terrenales. Los excomulgados, ya que no había otra forma de obtener el perdón más que yendo a Roma, y rendirse a los pies del papado, procuraban ir cuando ya tenían varias excomuniones acumuladas ¡para aprovechar el viaje!

• ¡Ay de los vencidos!

De la locución latina "Vae victis", encierra toda la cruel realidad de los derrotados, tanto en las guerras como en la sociedad. Tiene mucho en común con esta otra frase: "Del árbol caído, todos hacen leña", ya que todos se ceban en los que no pueden defenderse.

• Cuanto más conozco a los hombres, más quiero a mi perro

Esta celebérrima frase, se ha atribuído a numerosos personajes, desde Madame de Sevigné, hasta a Lord Byron o al filósofo racionalista Pascal. Pone de manifiesto la fidelidad y gratitud, a toda prueba, de los perros, ante , la más que frecuente perfidia de los hombres, tan proclives a olvidar a sus benefactores y devolver mal por bien recibido.

• *Dejemos a las mujeres bellas, para los hombres sin imaginación*

Marcel Proust, el novelista francés, es el creador de este pensamiento, lleno de ingenio, que valora la inteligencia y la gracia de la mujer, más que la belleza formal.

Cuando un hombre se fija sólo en el aspecto externo de una mujer, está desperdiciando la oportunidad de conocer y disfrutar valores mucho más interesantes y duraderos, que pueden encontrase en otras, menos agraciadas, ¡aunque, esto último, solamente está al alcance de los hombres inteligentes!

• *El hombre es un lobo para el hombre*

Viene de la antigua expresión latina: "Homo homini lupus" y se popularizó en los siglos XVI y XVII. Encierra una gran verdad, porque el mayor enemigo del hombre, es el propio hombre, capaz de las mayores atrocidades con sus semejantes, cosa que no se da entre las más feroces especies animales.

La imagen del lobo está tomada en el idea, que perduró durante muchos años,de que este animal era uno de los más crueles.

Otra frase, también muy conocida es la de : "Lobos entre lobos, no se muerden"

Indica que, entre gentes de parecida condición o de la misma calaña, en sentido despectivo, existe cierto entendimiento y y no suelen perjudicarse.

Siguiendo en esta misma línea, algunos dicen:"Un lobo a otro no muerde; un hombre a otro, mil veces"

• *España y yo, señora, ¡somos así!*

Tiene muy curiosa historia, y se emplea como contestación, en sentido modesto e irónico a la vez, cuando a uno le alaban por alguna acción.

Se cuenta que en tiempos de Catalina, la Grande de Rusia, el embajador español ante la corte moscovita, era el Duque de Osuna. De fortuna incalculable, el duque era tan rico como pródigo. Una noche, la zarina fue invitada a cenar en el palacio que el duque ocupaba, a las orillas del río Neva. El lujo y el esplendor de la mesa, maravillaron a Catalina, cuyo asombro fue en aumento, cuando vió que el duque, según ella utilizaba los servicios, los arrojaba al río. Al preguntarle porqué hacía esto, el duque, con suma galantería, le contestó que no quería que otros labios pudieran posarse donde lo habían hecho los suyos. Halagada y sorprendida, la zarina quedó atónita ante este gesto, y el duque, con humildad, no exenta de cierta mordacidad, le dijo: " ¡España y yo, señora, somos así!"

• *Estar en Babia*

Babia es un lugar situado en las montañas de León, donde los reyes medievales, iban a relajarse y a cazar, por ser éste un paraje de gran belleza, y por aquel entonces, rico en muchas especies cinegéticas.

De ahí viene esta expresión, que significa estar distraído, atontado o ignorante de lo que está sucediendo, porque cuando estaban los reyes ahí, no se ocupaban de las labores de gobierno y se aislaban de todo tipo de problemas.

• La travesía del Desierto

En clara alusión al peregrinaje de los israelitas en busca de la Tierra Prometida, significa que cuando alguien ha terminado su travesía del Desierto, es que ha dejado atrás una mala época y que está entrando en momentos mucho mas agradables.

• Lo bello es el reflejo del bien

Esta frase, del filósofo griego Platón, recoge la idea de la antigua Grecia, que unía la belleza a la bondad y la bondad a la belleza. Como todo lo que nos legó esta civilización, está fundamentada en la verdad, porque no hay nada bueno que pueda resultar feo o desagradable,

• Lo bueno si breve, dos veces bueno

Baltasar Gracián, escritor y poeta conceptista, acuñó esta sentencia, que ha hecho historia, y que se ha convertido en una de las más populares.

En todos lo ámbitos de la vida, lo bueno es doblemente apreciado si es corta su duración. También tiene el sentido de que lo breve, en oposición a lo farragoso, siendo bueno, tiene un doble valor: por su bondad y por su brevedad.

• *Lo cortés no quita lo valiente*

Parece ser que su origen está en las guerras que España sostuvo en los Países Bajos, y más concretamente en la batalla de Breda, cuya rendición reflejó Velázquez, maravillosamente, en el cuadro de "Las lanzas". Cuando el de Orange, se inclina ante el general español Ambrosio de Spínola, éste, con una sonrisa, evita su humillación, aunque recibe, de sus manos, las llaves de la ciudad conquistada.

Y es que la educación y la amabilidad, no están reñidas con el valor y la fuerza utilizadas cuando es preciso, y es signo de elegancia y generosidad, no ensañarse con el vencido.

• *Lo escrito, escrito está*

Se emplea para dar a entender la fuerza y la permanencia de lo que se pone por escrito. Algunos dicen también: "Lo escrito, escrito está, que las palabras se las lleva el viento"

Esta frase se pone, en el Evangelio , en boca de Pilatos. El gobernador romano de Judea, mandó colocar sobre la cruz de Jesucristo , esta leyenda: "Jesús, rey de los judíos". Cuando el Sanedrín fue a decirle que la quitara, ya que ellos no lo consideraban como tal, Pilatos contesto: "Lo escrito, escrito está" y se negó a borrarla.

• *Llegué, ví y vencí*

Frase de Julio César, que se utiliza para dar a entender que una cosa se ha realizado con suma facilidad.

Parece ser que César la pronunció al vencer, casi como jugando, a Farnaces, hijo del legendario Mitrídates , rey del Ponto.

• *Manos blancas, no ofenden*

El ministro de Gracia y Justicia, Calomarde, logró arrancarle a Fernando VII en su lecho de muerte, la promulgación de la Ley Sálica. Esta ley, apartaba del trono a las mujeres, aunque éstas fueran las primogénitas, dando la preferencia al varón. Una de las Infantas, en concreto , Carlota, hermana de la reina María Cristina de Borbón, que se hallaba en la antesala, al conocer la noticia, abofeteó al ministro, que satisfecho por haber conseguido lo que deseaba, en un alarde de diplomacia y galanura, le contestó: "Señora, manos blancas no ofenden" . Esta ley, daría origen a las Guerras Carlistas.

Desde entonces, esta frase. se utiliza como deferencia hacia las damas, cuando realizan algo inconveniente.

• *Ni quito ni pongo rey, pero ayudo a mi señor*

A Beltrán Duguesclin, mercenario que combatía en las huestes de Enrique de Trastámara, se le atribuye esta frase. Se dice que, en los Campos de Montiel, Enrique y su hermanastro Pedro I, el Cruel, llegaron al cuerpo a cuerpo. Viendo Beltrán que Enrique llevaba las de perder, les dió la vuelta, de forma, que Enrique quedará sobre Pedro que resultó muerto, pasando el reino de Castilla a manos de Enrique. Mientras ejecutaba esta acción, y sabedor Duguesclin de la importancia de las misma, se cubrió las espaldas con este famosos dicho.

En la actualidad, se emplea , con astucia, por los que hacen lo que que pueden, en favor de alguien o de alguna causa, de forma un tanto velada o bajo cuerda.

• *Muchos son los llamados y pocos los elegidos*

Tomada de un pasaje evangélico, se usa para indicar que no son muchos los que logran metas elevadas o fines costosos, aunque sean muy numerosos los que van en pos de ellos.

• *Pasar el Rubicón*

O también: Atravesar el Rubicón

Cuando se dice que uno ha pasado el Rubicón o que se ha decidido a ello, indica que va a por todas, sin importarle las consecuencias.

Su historia es la siguiente: El Rubicón es un río situado en el perímetro de la antigua Roma. En sus orillas, acampaban los ejércitos que retornaban victoriosos, hasta que el Senado autorizaba su entrada en la ciudad, desarmado, para recibir el homenaje del pueblo. Pero en el año 49 de nuestra era, el Senado ordenó a César disolver su ejército, ante el temor de que se hiciera con todo el poder. Con Marco Antonio a la cabeza, César pasa el Rubicón, pronunciando otra frase no menos famosa, que todos conocemos: "La suerte está echada!"

• *Pasar una noche en blanco*

Cuando uno no ha podido dormir, dice que ha pasado "una noche en blanco" Su significado se basa en la túnica blanca con la que se vestían los neófitos que velaban las armas , toda la noche, para ser armados caballeros al día siguiente.

• *Poner una (buena) pica en Flandes*

Es conseguir algo provechosos, pero difícil de alcanzar.

Como otras frases que hemos visto, proviene de las Guerras españolas en los Países Bajos, y por lo que se ve, poner una pica (lanza) en Flandes no debía ser cosa sencilla, por la tenaz resistencia de flamencos, valones y holandeses.

• *Roma veduta, fede perduta*

Esta expresión, en italiano macarrónico, comienza a popularizarse durante el Renacimiento. Roma, y con ella el Papado, era una ciudad abierta a todo tipo de placeres y vicios, donde imperaba el lujo y la corrupción, alternando con la mayor de las pobrezas y la abundancia de pícaros. Por ello, los peregrinos de buena voluntad que se acercaban a ella, quedaban desencantados ya que, más que la sede de la Cristiandad, parecía un lugar de perdición.

Hoy la empleamos para decir que, cuando un asunto, o una persona se conoce en profundidad, muchas veces, no es tan buena e interesante como nos puede parecer desde fuera.

• *Salir de Herodes y meterse en Pilatos*

O lo que viene a ser lo mismo, andar de mal en peor. Salir de una mala situación para caer en otra de consecuencias más graves.

Su precedente es la Pasión de Cristo, cuando Herodes, lo mandó a Pilatos que lo crucificó.

• *Sólo sé que no sé nada*

Este pensamiento del filósofo griego Sócrates, uno de los hombres más sabios de su época, expresa que, la auténtica sabiduría del ser humano, comienza cuando reconoce lo mucho que le queda por aprender. Sólo los necios y los ignorantes, creen conocerlo todo y estar en posesión de la verdad.

• *Tener más paciencia que el Santo Job*

De todos es sabido, las innumerables pruebas con las que Dios probó a este personaje bíblico. Perdió sus bienes, a sus seres queridos, sufrió terribles enfermedades y se vió abandonado por todos. Todo lo padeció sin quejarse, haciendo acopio de paciencia y confiando en la voluntad divina, que al fin le devolvió cuanto le había quitado.

Por ello, tener más paciencia que él, ¡es tenerla en grado sumarísimo!

• *Vísteme despacio que llevo prisa*

Atribuída al rey Felipe II, a lo que se ve, prudente y calmado en todos los aspectos de la vida, indica que las prisas no son buenas para nada. Sucede que, cuanto más queremos correr, nos equivocamos o erramos de forma que hay que volver a empezar, con lo que se pierde el doble de tiempo.

• *Mas contento que unas Pascuas*

Parece que la frase proviene de la obra de Cervantes "La gitanilla", y significa estar muy, pero que muy contento. Puede hacer también referencia a la Pascua de Resurección o Pascua Florida, que llega con la primavera, símbolo de alegría y de renacimiento en la naturaleza.

• Mas feo que Picio

Según Sbarbi, Picio era un zapatero de Alhendín, que vivía en Granada durante el siglo pasado. Fue condenado a muerte por sus malas acciones, pero estando en capilla, esperando la ejecución, llegó el indulto. Del susto y de la impresión, perdió el pelo, tanto de la cabeza como de las cejas y pestañas y con la cara tan deformada y llena de tumores que, desde entonces, se pone como ejemplo de la más terrible fealdad.

• Mas viejo que Matusalén

Matusalén fue un antiguo patriarca hebreo, que según el Génesis, vivió 969. La medición del tiempo, no era, entonces, como la actual ni la división de los años en 365 días solares, sino más cortos, pero parece que debió de vivir muchísimo. Y es ésta frase muy común para destacar tanto la longevidad de alguien como para destacar que algo está, irremediablemente , pasado de moda o anticuado.

• De lo sublime a lo ridículo, no hay más que un paso

Atribuída a Napoleón, parece que relatándole al obispo de Malinas, la retirada de sus tropas de Rusia, el obispo comentó que, la campaña había sido sublime. Napoleón, que había sufrido una derrota estrepitosa, no pudo menos que pronunciar esta conocida frase.

• Una tempestad en un vaso de agua

Da a entender que, un determinado suceso, no tiene ni el peligro ni la importancia que se le quiere dar, puesto que es evidente que, en un vaso de agua pocas tempestades pueden desencadernarse. Su orígen parece estar en las elecciones municipales que se vivían en la Roma del Imperio, cuando se organizaban frecuentes discusiones entre los que concurrían a ellas. "Fluctus in simpulo", solían decir los espectadores de dichos altercados que no participaban en ellos, o lo que es lo mismo, una tempestad en un vaso de agua. Se emplea con el mismo significado de "No llegará la sangre el al río".

- ## *Meterse en un laberinto*
Significa haberse metido en un lío o en una situación de los que muy difícilmente se puede salir. Sin duda, su antecedente son los antiguos laberintos de Creta o Etruria, formados por encrucijadas, callejuelas y rodeos, tan artificiosamente construídos, que era poco menos que imposible encontrar una salida.

- ## *Los mismos perros con diferentes collares*
Se utiliza para decir que una cosa es igual que otra, aunque se la quiera disfrazar.
La frase se atribuye a Galdós y también a Fernando VII. En 1823, después de la entrada de los franceses con los"Cien mil hijos de San Luis", fue disuelta la milicia de Madrid, y sustituída por voluntarios monárquicos. Cuando éstos desfilaron ante Fernando VII, éste contempló con asombro, que los soldados monárquicos era los mismos hombre que habían formado la milicia disuelta. Y volviéndose hacia su gentilhombre dijo: "¡Pero si son los mismos perros con diferentes collares!"

- ## *Estar a las duras y a las maduras*
Puede ser que se precedente, según Cejador, fuera el reparto de peras y otras frutas, en los que había que aceptar tanto las buenas como las menos buenas. Y en este mismo se utiliza este modismo, muy popular, indicando que hay que dar la cara para afrontar los malos momentos así como nos hemos aprovechado y disfrutado de los buenos.

- ## *Apuntarse a un bombardeo*
Se aplica a aquellas personas que no quieren perderse nada, y que por destacar en la vida social, o por salir de su casa, son capaces de acudir a cualquier acto, del tipo que sea, o aceptar cualquier invitación. Su orígen es claro y notorio,¡ ¿se puede tener más ganas de figurar, o de mostrar el palmito que no dejar pasar ni siquiera un bombardeo?!

- *Saber más que Lepe, Lepijo y su hijo*

Su utilización normal, se ciñe a "Saber más que Lepe", y se debe a la fama de sabio que tenía Pedro de Lepe, obispo de Calahorra allá por el siglo XV. Significa saber mucho, más que nadie sobre una materia, aunque también se usa con la acepción de ser muy astuto.

- *Hablar por boca de otro o por boca de ganso.*

Cuando se repite la opinión de otro, o lo que ese otro le dice que comente. Antiguamente, se daba en nombre de "ganso" a los ayos o preceptores de los niños. De ahí procede esta alocución, ya que los niños se limitaban a repetir lo que oían en los que se encargaban de su educación.

- *Meterse en un berenjenal*

Entrar en dificultades serias. Parece que alude a lo difícil que es transitar por un campo de berenjenas, porque sus tallos son rastreros. También podría guardar relación con idea de que la berenjena causaba la locura. De hecho, los botánicos del siglo XVI, la llamaban " manzana loca".

- *Ser la Biblia en verso, o la Biblia en pasta*

Se emplea para decir que algo es excesivamente farragoso, o extenso. También se aplica para manifestar que una cosa está muy completa o bien terminada. Esta locución viene de mediados del siglo XIX, cuando José María Carulla y Estrada, publicó una obra muy vasta, que abarcaba todos los géneros . Carulla puso en verso todos los libros de la Biblia, con tantos ripios, que fue objeto de chanzas y bromas entre los escritores y críticos de la época, que acuñaron esta frase en burla a este autor, hoy completamente olvidado.

- *Tener algo bemoles o tiene la cosas bemoles*

Ser muy difícil, o presentar muchos problemas un asunto, una situación. La frase proviene de las dificultades que platean los bemoles al leer una partitura. El bemol, es una nota cuya entonación es un semitono más bajo que la de su sonido natural.

- *Doctores tiene la Iglesia*

Comentario que se hace para eludir una responsabilidad ante un hecho determinado, remitiéndola a las autoridades superiores o a personas especialistas en el tema. La expresión esta sacada del catecismo del padre Astete, que la da como contestación a una pregunta sobre la naturaleza de lo que enseña la Iglesia.

- *Lo que faltaba para el duro*

Se exclama con ironía, y también, a veces, con desesperación, cuando se añaden inconvenientes y problemas a una situación que ya es de por sí complicada. Cuando el duro era una cantidad respetable de dinero, y se cambiaba, se consideraba que el gasto realizado era más que suficiente. Si a ésto se le añadía otro gasto que acababa con las vueltas, o sea, con lo que restaba de él, la situación económica se quedaba temblando.

- *Poner a alguien como no digan dueñas*

Hablar mal de una persona, criticarla en grado sumo. Antaño, las dueñas eran las mujeres que tenían un rango de ama de llaves o gobernantas, y por extensión, se llamaba también así a las mujeres casadas o viudas con cierto status social, que por lo que se ve en esta frase, debían ser muy dadas al chismorreo.

- *Ser la manzana de la discordia*

Ser el objeto de una disputa, o estar en el centro de ella. Su origen viene de la mitología griega, del famoso juicio de Paris. En el concurso de belleza entre las diosas del Olimpo, Paris, que era el juez, entregó la manzana de oro para la más hermosa a Afrodita, diosa del amor, desoyendo las promesas que le habían hecho Hera y Palas Atenea, con lo que se ganó su enemistad eterna.

- *Tener la espada de Damocles sobre la cabeza o estar bajo la espada de Damocles*

Significa vivir bajo una amenaza permanente, o estar con el ánimo en suspenso. Según la leyenda, Damocles era funcionario en la corte del tirano Dionisio I de Siracusa. Envidioso del poder de Dionisio, éste para demostrarle cuán precaria y peligrosa es la posición de un tirano, hizo suspender sobre la cabeza de Damocles una espada,sujeta, solamente, por una crin de caballo que podía romperse en cualquier momento.

- *Ser la quinta esencia*

Se refiere a ser lo más puro, lo más exquisito, lo más concentrado y lo que mejor conserva las propiedades de lo que deriva. Proviene de la concepción de la antigua cosmología, que consideraba que, además de los cuatro elementos básicos: aire, fuego, agua y tierra, existía un quinto elemento, el éter sutil, del que se componían los cuerpos celestes. Durante la Edad Media y el Renacimiento, los alquimistas trataban de reducir la materia a esa quinta esencia, destilando otras más ordinarias y vulgares.

• *Mandar a freír espárragos*

Rechazar algo o despedir a alguien de mala manera, con enojo y sin miramiento alguno. La explicación más aproximada que se da a esta locución, es que, antiguamente, los espárragos fritos se consideraban que no valían para nada, mientras que crudos o cocidos, se les atribuían notables propiedades curativas.

• *Estar en la gloria*

Sentirse maravillosamente bien o estar en una situación inmejorable de placer o alegría. En Castilla y León se daba el nombre de "gloria" a una habitación de la casa, bajo la cual circulaba una corriente de aire caliente que la caldeaba. En los fríos inviernos se hacía allí la vida, porque se estaba calentito y bien. La estructura de esta habitación derivaba del hypocaustum de los romanos que tenía el mismo principio y utilidad que la "gloria".

• *Ir de gorra*

Aprovecharse de una situación, hacer gasto a costa de los demás sin pagar nada, ir de gratis. Se relaciona, directamente, con "pasar la gorra", lo que hacía después de los espectáculos callejeros para recoger algo de dinero en pago de la función ofrecida.

• *Arrojar el guante*

En la actualidad, y en sentido figurado, se utiliza para desafiar, para proponer un reto importante o una meta destacada. Antiguamente, arrojar el guante era el gesto ceremonial con el que un caballero desafiaba a otro para un duelo. Hay una expresión correlativa, que se aplica a quien acepta esa meta o reto y que es "recoger el guante".

- *Ser habas contadas o haber habas contadas*

Estar una cosa perfectamente clara. Se dice también de lo que hay un número fijo y escaso, de forma que es fácilmente controlable y cuya distribución no presenta problemas. De este dicho, habría buscar su origen en la forma en que se efectuaban las votaciones en algunas órdenes religiosas e instituciones civiles. Consistía en emitir el voto mediante habas blancas o negras que se introducían en un recipiente a modo de urna. Se contaban las habas y se decidia según el color que hubiera sido el más votado.

- *¡A buenas horas,mangas verdes!*

Esta exclamación, por demás muy común, se emplea para decir que se ha llegado tarde, porque ha pasado el momento oportuno. Las "mangas verdes" formaban parte del uniforme de la Santa Hermandad, un cuerpo de vigilancia, parecido a la actual Guardia Civil, que crearon los Reyes Católicos. Dada la dificultad de los viajes en esta época, cuando la Santa Hermandad llegaba al lugar del suceso, ya había pasado todo, e incluso era muy posible que los supuestos culpables hubieran escapado. De ahí, esta frase.

- *Para más inri*

Alcanzar el límite de lo tolerable, ser el colmo de los colmos. INRI, corresponde a "Nazarenus Rex Iudeorum", Jesús Nazareno, rey de los judíos, inscripción que colocaron sobre la cruz de Jesús como burla y que se ha difundido a la iconografía cristiana.

- *Desenterrar el hacha de guerra*

Cuando uno se decide a enfrentarse con alguien sin importarle las consecuencias. Equivale a declarar la guerra. Es una frase popularizada por el cine, en las películas de vaqueros, cuando los indios norteamericanos deciden atacar a los blancos y "desentierran el hacha de guerra".

- *Al lucero del alba*

Esta locución se refiere a alguien indeterminado, a quien se le atribuye gran importancia social o que tiene una jerarquía importante. Suele emplearse en frases como: "Yo le canto las verdades al lucero del alba". El lucero del alba es el nombre que se le da al planeta Venus, que aparece muy destacado en los amaneceres y los crepúsculos.

- *Tocar madera*

Es una práctica superticiosa que tiene por objeto contrarrestar la mala suerte. En el lenguaje coloquial, se emplea en expresiones que quieren prevenir un mal o una situación complicada. En algunas civilizaciones, la madera tiene un carácter sagrado, considerándola como uno de los elementos esenciales en la construcción del mundo. Sería, pues, un soporte simbólico del orden del universo.

- *Como una malva*

Ser dócil, pacífico, de buen carácter, tener dulzura. Podría estar relacionada esta expresión, con las muchas cualidades curativas que se atribuyen a esta planta y a la familia de las malváceas, que son suavizantes y emolientes.

- *Poner la mano en el fuego*

Estar totalmente seguro de la veracidad de una afirmación o de la conducta de una persona, respondiendo,plenamente, por ella. Proviene los los "juicios de Dios" que se practicaban en la Edad Media. Se trataba de actos rituales para probar la inocencia de un inculpado o la certeza de una afirmación, sometiéndolo a la acción del fuego. Si Dios le preservaba de él y de sus efectos, quedaba probada la inocencia o la verdad.

• *Ser la monda*

Ser algo muy gracioso y divertido, tanto si se refiere a una situación como un individuo. Deriva de la frase "mondarse de risa". La monda es una celebración de Talavera de la Reina y de su comarca, que tiene lugar en la Pascua de Resurección. Las diversiones de esta jornada, que acaban con el recogimiento de la Semana Santa, podrían explicar que algo muy regocijante sea "la monda".

• *Echarse al monte o tirarse al monte*

Solemos utilizar este dicho aplicándolo al que ha roto con las convenciones sociales y va a su aire, sin importarle la opinión de los demás. Refugiarse en el monte, ha sido siempre una forma de escapar de una represión, o de la acción de la justicia. También para organizar la resistencia contra un enemigo o invasor.

• *Pasarlas moradas*

Es atravesar una situación muy penosa, económica o personal. El color morado se asocia a los oficios fúnebres y la Semana Santa, cuando las imágenes se cubrían con paños de este color simbolizando la tristeza y la muerte.

• *Quemarse las pestañas*

Lo decimos para destacar que alguien estudia o lee mucho, en especial por la noche.
El origen de esta frase es de la época en que se utilizaban las velas como única fuente de luz.

• *Ser de la piel del diablo o ser de la piel de Barrabás*

Habitualmente empleamos estas frases para destacar de un niño es muy travieso o muy inquieto, aunque en su acepción primitiva indicada ser malo, pero lo que dice malo de verdad. Barrabás era considerado el colmo de la maldad porque fue indultado en lugar de Jesús, y del diablo ¡qué podemos decir!

• *Esto vale un potosí o vale un potosí*

Su utilización se aplica tanto a un objeto como a las prendas morales de una persona, refiriéndose a que vale muchísimo. Potosí era una ciudad de Bolivia fundada por los españoles en 1545, para explotar las minas de plata que allí existían. Fueran las más ricas de América hasta el siglo XVIII. Es muy común, también, el dicho de "vale un Perú" por estar esta explotación dentro de lo que se llamaba el virreinato del Perú.

• *Salir por la puerta grande o entrar por la puerta grande*

Gozar del reconocimiento de todos, obtener un gran triunfo. Viene de la terminología taurina, en la que salir por la puerta grande del coso es el máximo galardón y el máximo honor para un torero.

• *Ser la punta del iceberg*

Lo empleamos para decir que es la parte más visible de un asunto, de un tema, pero no la más importante. El iceberg queda sumergido en las cuatro quintas partes de su volumen, y sólo el resto asoma a la superficie por lo que muestra una mínima parte. Y en este sentido se utiliza esta expresión.

- *Guardar como oro en paño*

Se aplica este dicho a todo aquello que se guarda con sumo cuidado, de acuerdo a su gran valor o a la gran estima que se le tiene. Antiguamente, se fabricaban "panes de oro", que consistían en unas finísimas láminas de este metal, para recubrimiento de objetos artísticos. Las sobras de estos "panes" se recogían con unos paños especiales. Posteriormente, se quemaban para recuperar el oro que se había quedado adherido a ellos, y así recuperarlo. Seguramente de ahí deriva esta expresión.

- *Haber de todo, como en botica o tener de todo, como en botica*

Según Sbarbi, se llamaba "botica" a todo almacén o tienda en los que había gran variedad de géneros. También se llamaba así a cada una de las casuchas que, en Sevilla, ocupaban las mujeres de vida airada en el barrio de las Mancebías hasta el siglo XVIII . Como las había sanas, enfermas, jóvenes y viejas, caras o asequibles, es muy posible que, tal abundancia y variedad, diera origen a ese dicho . También otros autores opinan que se refiere a las "boticas" como a nuestras actuales farmacias, en las que existían multitud de remedios para curarse.

- *Todos a una, como los de Fuenteovejuna*

Esta frase se aplica a los hechos que se realizan colectivamente, buscando el anonimato y la protección de muchos. Los habitantes de este pueblo, Fuenteovejuna, mataron al Comendador Mayor, Fernán Gómez de Guzmán, hartos de sus actos de injusticia para con ellos. Los Reyes Católicos enviaron allí a un juez para que aclarase los hechos y castigase al culpable, cosa que no fue posible porque todos los vecinos se declararon autores del crimen. A la pregunta de :"¿Quién mató al Comendador?", siempre se obtuvo la misma respuesta: "Fuenteovejuna, señor". Ante tan tesitura, y en vista de que no podía encarcelarse y ajusticiar a un pueblo entero, todos quedaron libres ¡y libres del tirano!

• *Estar hecho un basilisco o ponerse como un basilisco*

Estar uno muy irritado, enfadado y manifestarlo de forma airada e iracunda. El basilisco era un animal mítico, que según los "Bestiarios" de la edad Media, causaba a su paso, una destrucción total. Parece que se le identificaba con una serpiente pequeña, que con su mirada, transformaba en piedra todo cuanto veía. Sólo podía matársele, colocando un espejo en el que se reflejara su imagen, y de esta forma, él mismo se convertía en piedra.

• *Cortar el bacalao*

Mandar y disponer en un asunto. Tener una gran influencia en una colectividad, en la familia, o en un tema determinado. El bacalao seco fue, durante años, uno de los alimentos básicos en las clases humildes. De ahí podría derivar esta frase, de que la persona encargada de distribuir este producto, fuese la de mayor preponderancia dentro del ámbito familiar o social.

• *Ir uno hecho un brazo de mar*

Significa ir muy bien vestido, muy atildado y elegante. Se llama " brazo de mar" al canal ancho y largo de mar que penetra tierra adentro. Sus aguas están remansadas y tranquilas, constituyendo, por lo general, paisajes muy bellos, de donde, sin duda, deriva este dicho.

• *Con cajas destempladas (Echar o despedir a uno)*

Actuar con aspereza o enojo, de malos modos, sin educación y sin miramiento. El origen de esta frase está en las ejecuciones públicas y en los actos en los que se degradaba a un militar, cuando los tambores redoblaban con un sonido especialmente desagradable porque, previamente, se les aflojaban las cajas .

• Meterse en camisa de once varas

Entrometerse en algo que no le importa, complicarse, innecesariamente, en asuntos que ni le van ni le vienen. En la Edad Media, había una curiosa ceremonia que se oficiaba cuando se adoptaba a alguien como hijo. Al adoptado, se le colocaba una camisa muy ancha, y así vestido, recibía un beso en la frente del que le recibía como hijo, quedando formalizada la adopción. Con frecuencia los adoptados defraudaban a los adoptantes , con lo que esta frase vino a significar que no debían ponerse las esperanzas en lo que no se sabía como iba a resultar, sentido éste que no coincide con el que le damos en la actualidad.

• Estar en capilla

En sentido literal, es esperar el reo la ejecución, aunque ahora, se utiliza para decir que son las últimas horas antes de un acontecimiento importante: una boda, un examen etc. Felipe II dispuso que en las cárceles se habilitaran unas capillas para que los reos pudieran oir misa y comulgar, y después de ello "por respeto al Sacramento, no se ejecutase la sentencia de muerte hasta el día siguiente " . Anteriormente, los condenados podían confesar, pero no comulgar, y se les ajusticiaba de forma inmediata, por lo que no entraban "en capilla".

• Pasarlas canutas

Estar en una situación difícil, penosa o muy dura. Procede del antiguo léxico marinero. Cuando a uno le daba el canuto, es que estaba despedido, que se le dejaba sin destino o sin sueldo. La notificación se le entregaba en el papel enrrollado que tenía la forma de un canuto.

• *Ser la carabina de Ambrosio*

Se emplea para decir que no vale para nada o que no tiene ninguna relevancia. Parece que precedente está en la historia siguiente. Un campesino, Ambrosio, que vivía en un pueblo cercano a Sevilla, decidió un día abandonar las labores del campo para hacerse salteador de caminos, con la seguridad de que esta iba a ser una ocupación mucho más descansada y lucrativa. A tal fin, se equipó con una carabina cargada con cañamones y sin pólvora. El aspecto de Ambrosio era tan ingenuo y tan inofensivo y el arma tan poco contundente, que los asaltados no le hacían el menor caso, por lo que acabó volviendo a trabajo anterior.

• *Irse (o andar) por los cerros de Úbeda*

Divagar o extraviarse en un discurso, y también, decir cosas fuera de propósito o sin venir a cuento. Su referencia son los cerros de Úbeda en Jaén. Se dice que un alcalde de está localidad, tenía una amante que vivía por estos cerros, a la que visitaba con harta frecuencia. En día, en un pleno municipal, cuando el alcalde estaba alejándose del tema que se trataba, un concejal, con ironía, le atajó diciéndole que no se fuera por los cerros de Úbeda.

• *Perder la chaveta (o estar mal de la chaveta)*

Se emplea para decir que está loco, o que ha perdido el juicio. La chaveta es una clavija que atraviesa una barra o un eje, y que sirve de tope para que no se salgan las piezas que sujeta dicha barra. Si se pierde, se salen las piezas y se descompone el mecanismo, o en el caso de nuestra frase, la razón.

• *Dar la puntilla*

Completar la destrucción de algo, o hundir a alguien moralmente, arruinarle. Proviene del lenguaje taurino, ya que la puntilla es un puñal corto que sirve para rematar a la res, cuando ya ha doblado, clavándoselo entre dos vertebras cervicales.

• *Dársela a uno con queso*

Engañar, burlarse de él o aprovecharse de su buena fe. La mayoría de los autores, creen que la frase se relaciona con el queso que sirve como cebo para cazar a los ratones, que vendría a significar caer en la trampa o dejarse atrapar.

• *Andar (o estar al) quite*

Acudir con rapidez en ayuda de alguien, o estar preparado para ello. Tiene un claro origen taurino, ya que el quite, es una suerte que se efectúa con el capote para librar a otro del peligro de ser embestido por el toro .

• *Tener siete vidas como los gatos*

Se emplea para decir que se ha salido sano y salvo de enfermedades o de situaciones de riesgo que, normalmente , suelen tener conclusiones fatales. La alusión a los gatos se explica por la probada supervivencia que tienen a la caídas, ya que por su especial configuración, siempre caen de pie.

• *Velar las armas*

En la actualidad, empleamos esta locución, para determinar una situación previa a un acontecimiento importante, aunque viene de las antiguas ceremonias medievales en las que se armaban caballeros. La noche anterior a la investidura, la pasaban en vela ante las armas, generalmente en una iglesia o en las capillas de los castillos.

• *Echar una cana al aire*

Expresión muy común que indica juerga o diversión, generalmente, de forma esporádica. Se la relaciona con la costumbre de ciertos personajes, que ya en edad madura, intentaban arrancarse las canas para parecer más jóvenes.

- ## *Más vale honra sin barcos, que barcos sin honra*

Frase que indica que es preferible la gloria y el honor a cualquier otra cosa material por importante que nos pueda parecer. Parece que los hechos que dieron origen a esta frase son los que se relatan a continuación. El ministro de Estado del Gabinete O'Donnell, Bermúdez de Castro, escribió a Méndez Nuñez: "Más vale sucumbir con gloria en mares enemigos, que volver a España sin honra ni vergüenza". Méndez Nuñez le contestó: "Si no consiguiese una paz honrosa para España, cumpliré las órdenes de Vuestra Excelencia, destruyendo la ciudad de Valparaíso, aunque tenga que combatir con las escuadras inglesa y americana aquí reunidas. La de Su Majestad se hundiría en estas aguas antes que volver a España deshonrada, cumpliendo lo que Su Majestad, el gobierno y el País desean: Primero honra sin Marina, que Marina sin honra".

- ## *Estamos sobre un volcán*

Hace referencia a una situación de gran peligro o que está a punto de estallar sin saber con certeza cuando va a hacerlo. El político francés Aquiles Salvandy, en una fiesta en honor del rey de Nápoles dijo: " Esta es una auténtica fiestas napolitana. Estamos bailando sobre un volcán" en alusión al cercano Vesubio. La frase, tal vez no hubiera tenido más trascendencia, si no fuera porque, al poco tiempo, estalló una revuelta en París contra Carlos X. Alguien la recordó y llegó a la conclusión de que Salvandy estaba al tanto de lo que se fraguaba y la frase era una alusión velada al peligro en ciernes. Y con este sentido ha perdurado hasta nuestros días.

- ## *Hacer pinitos*
Significar comenzar a hacer algo, iniciarse en algo, trabajo, deportes, etc., con la inseguridad propia de los principiantes. Se emplea, sobre todo, cuando los niños pequeños comienzan a andar.

- ## *No tenerlas todas consigo*
Expresión que denota la inquietud o el recelo de una persona ante una situación que no ve clara, o favorable a sus intereses. Se dice que la frase surgió de alguien que, estando desarmado o con pocas armas (no las tenía todas consigo), se encontró en peligro, y no creyó prudente enfrentarse a él.

- ## *Nuestro gozo en un pozo*
Da a entender que donde creíamos que íbamos a encontrar alegría, buenas ganancias o felicidad, algo lo ha echado todo a perder y nos quedamos sin nada. Dice Covarrubias de este modismo: "Dícese cuando una cosa que nos había empezado a dar contento, no salió cierta ni verdadera..." Y es que cuando algo se nos cae a un pozo, ya podemos darlo por definitivamente perdido, porque es prácticamente imposible recuperarlo.

- ## *Andar (o ir) de la Ceca a la Meca*
Da a entender que una persona es inquieta y que se pasa la vida yendo de acá para alla, sin obtener de ello provecho alguno. También se utiliza para decir de que ha ido a lugares muy alejados entre sí para no sacar nada en claro. Aunque las explicaciones que se dan a esta frase, son muy variadas, una de las más acertadas nos parece la de Clemencín, que en sus notas sobre "El Quijote" comenta: "Ceca es una palabra de orígen arábigo que significa casa de moneda. Los cristianos de la Península dieron este nombre a la mezquita grande de Córdoba, que era uno de lugares más santos para los mahometanos que la visitaban en peregrinaciones y romerías. Lo mismo hacían con la Meca, y de la casual consonancia entre Ceca y Meca, y de lo distantes que estaban entre sí, hubo de resultar esta expresión proverbial para denotar la vagancia de los que andan de una parte a otra sin objeto preciso ni determinado".

- *Darse con un canto* *(en los dientes, en la cara, en los morros)*

Se suele emplear para decir que no se ha salido mal librado de una situación y que el resultado no ha sido tan adverso como se esperaba. El canto rodado, es una piedra sin aristas y sin puntas, por lo que causa un daño menor que las piedras que no están pulimentadas.

- *Lo dijo Blas, punto redondo*

Con esta expresión se da a entender que un asunto queda zanjado por haber dicho la última palabra sobre él, una persona con suficiente autoridad en el tema. Generalmente se utiliza en tono irónico, precisamente para negar esa autoridad. Se cuenta que este dicho proviene de un señor feudal, que se llamaría Blas, que cuando impartía justicia entre sus vasallos, no admitía ninguna apelación a sus sentencias.

- *Ir pecho descubierto*

Significa ir de buena fe, con sinceridad y nobleza, sin tapujos. Proviene de los antiguos usos medievales, cuando en los combates entre caballeros, no se utilizaba ni coraza ni armas defensivas.

- *Pagar el pato*

Recaer sobre uno las culpas de otro y quedar como único responsable de un hecho o una acción en la que estarían implicados otros. Al parecer esta locución no tiene una relación directa con el "pato", ave, sino con "pacto", palabra que con el uso, habría perdido la "c". Tendría, entonces, la significación que apuntábamos, en la que uno solo pagaba por todos los que habían asumido el pacto.

- ## *Como Pedro por su casa*
Indica andar con familiaridad en casa ajena, disponiendo de ella como si fuera la propia. También tiene el significado de entrometerse donde no le llaman o estar donde no le corresponde . Se dice que deriva de la expresión: "Como Pedro por Huesca", en alusión a la toma de esta ciudad por Pedro I de Aragón en el 1094.

- ## *Enterarse de lo que vale un peine*
Recibir su merecido, darle una buena reprimenda alguien de la que se ha hecho, sobradamente, acreedor. Sus orígenes podrían ser: un instrumento de tortura que se llamaba peine, y que consistía en una barra erizada de púas o bien en alusión al material con el que antiguamente se hacían los peines, marfil, carey, plata que era muy costoso y caro.

- ## *Tirarse uno de los pelos*
Arrepentirse de algo, lamentar no haber aprovechado una ocasión. Antaño, en muchas culturas, existía la costumbre de mesarse los cabellos como signo de dolor y de desesperación, y en este sentido se emplea esta frase, ¡en sentido figurado, se entiende!

- ## *Tomar las de Villadiego*
Marcharse de un lugar precipitadamente, huyendo de un peligro o de una situación desagradable. Su antecedente está en las calzas que se fabricaban en la localidad burgalesa de Villadiego. Se suponía que cuando uno se las ponía, es porque estaba presto para salir.

- ## *Armarse la de Dios es Cristo*
Promover un alboroto de grandes proporciones, o una discusión acalorada. Es orígen de esta expresión se cree hace referencia a las disputas religiosas del Concilio de Nicea, en el que hubo sus más y sus menos a propósito de la naturaleza humana y divina de Cristo.

• *Donde Cristo dio las tres voces*

Se emplea para referirse a un lugar muy lejano, muy recóndito, alejado de la civilización. Es una alusión clara al desierto donde Jesucristo se retiró, durante cuarenta días para orar. Por tres veces le tentó el demonio y por tres veces le rechazó Cristo, con las tres frases o "voces" a las que alude este dicho.

• *Ser (o hacer de) conejillo de Indias*

Este es el nombre que se da a la cobaya, un roedor de origen americano, que se utiliza en los experimentos de laboratorio. Por analogía, se aplica a las personas que se utilizan para probar en ellas los efectos de una situación peligrosa o desfavorable.

• *Apaga y vámonos*

Se usa para dar a entender que una situación ya no da más de sí, que hay que desistir porque ya no puede hacerse nada más. Se cuenta que dos sacerdotes, hicieron una apuesta sobre cual de ellos sería más rápido en oficiar una misa. El primero comenzó diciendo las preces a toda velocidad. Pero el segundo, empezó por la frase final, con la que se despide a los feligreses, "ite missa est". El primero, sorprendido por la astucia de su contrincante, y viendo que llevaba las de perder, le dijo a su monaguillo: "Apaga y vámonos".

• *Sacarse de la manga*

Sorprender a alguien con argumentos, datos o palabras que no se esperan. A veces también tiene el sentido de inventarse algo, sin fundamento cierto, para callar a los demás. Su antecedente está en los conocidos trucos que magos y prestidigitadores hacen, a menudo, sacándose de la manga objetos o animalillos y también en referencia a los jugadores tramposos, que se guardaban cartas en la manga.

• *Poner a alguien en la picota*

Dejarlo en evidencia, colocarlo en una situación difícil, haciendo públicas sus faltas o sus carencias. La picota era una columna que se alzaba en la entrada de algunos pueblos o ciudades, donde se colocaban las cabezas de los ajusticiados, o se exhibían a los reos, para ejemplo y escarmiento del resto de la población.

• *Acogerse a sagrado*

Huir de un problema o de una dificultad invocando una autoridad que es de respeto general. Viene de cuando determinados suelos sagrados, iglesias, monasterios y otros recintos eclesiásticos, gozaban del privilegio de poder acoger a los que huían de la justicia, quedando a salvo y bajo su protección sin que pudiera tocarlos la jurisdicción civil.

• *No hay tu tía*

No queda esperanza, es algo inevitable contra lo que no se puede luchar. Realmente, la frase correcta debería decir: "no hay atutía", veamos porqué: la atutía es una palabra árabe que designaba un ungüento hecho, básicamente, con óxido de cinc. Además de sus aplicaciones dermatológicas, estaba considerado como un antídoto contra los venenos. Cuando una enfermedad era incurable, no había "atutía" que pudiera remediarla. Parece que el uso común de esta palabra, la ha convertido en la "tu tía", más corriente y familiar, que usamos hoy.

• *Jugar de farol o marcarse un farol*

Es terminología que viene de los juegos de naipes, en los que se finge que se llevan buenas cartas para engañar al resto de los jugadores para que no suban las apuestas. Tiene este mismo sentido en todos los ámbitos donde se aplica: los negocios, la política, etc. . La relación con el farol se explica por la idea de deslumbrar al adversario.

- *Limpio de polvo y paja*

Significa que está libre de cualquier carga, que se trata de algo totalmente claro y bien definido. Su origen está cuando los aparceros que pagaban al dueño de las tierras en especies, y tenían que entregarle el trigo, limpio de polvo y paja, o sea trillado y aventado.

- *Terminar como el rosario de la Aurora*

Acabar mal una disputa, una discusión. Se emplea para decir que una reunión ha terminada con alboroto e incluso, en un tumulto. Parece ser que en una determinada procesión, que se celebraba al amanecer, terminó a "cristazos" entre los participantes por rencillas personales. Otros dicen que la reyerta se debió a enfrentamientos entre los píos concurrentes a la procesión y pandillas de jóvenes que, a esas horas, solían rondar a las mozas, o andaban simplemente de jolgorio, pero el caso es que ¡la cosa acabó pero que muy mal!

- *Esperar una cosa como agua de mayo o viene como agua de mayo*

Expresa la impaciencia porque se produzca un acontecimiento muy deseado, y también que es muy bien recibido. El agua de mayo, las lluvias de este mes, son muy deseadas por la gente del campo, porque son altamente beneficiosas para todo tipo de cosechas.

- *Hacer comulgar a alguien con ruedas de molino o tragárselas como ruedas de molino*

Dar por buena, o querer hacer creer a alguien una cosa o un tema que es totalmente inadmisible, dejarse engañar con patrañas o mentiras difíciles de digerir. La comparación se establece entre las descomunales ruedas de los molinos antiguos y la sutilidad de las obleas con las que se da la comunión.

• *Pelar la pava*

Esta expresión se emplea para decir que dos novios están hablando de sus cosas o charlando largamente en lugares públicos, o más o menos, escondidos. Se cuenta que en una ciudad andaluza, una señora mandó a su criada a pelar una pava. Ella se puso hacerlo junto a una reja, y allí acudió su novio para hablar de sus cosas, mientras desplumaba al animal. La señora, impaciente, le preguntaba, a gritos, que se había terminado ya, y la criada, le respondía: "No, señora, estoy pelando la pava".

• *Las cuentas del Gran Capitán (ésto son o ésto parece)*

Se emplea para decir que son unas cuentas, o unas cantidades enormes, desorbitadas y fuera de toda lógica. Su leyenda es curiosa y divertida. González Fernández de Córdoba, llamado el Gran Capitán, conquistó el reino de Nápoles para Fernando el Católico, en los primeros años del siglo XV. Al pedírsele cuentas de los gastos de guerra efectuados en las campañas de Italia, el Gran Capitán se sintió humillado y consideró que aquello era una mezquindad después de haber proporcionado al monarca un nuevo reino. Así que le envió una lista disparatada de gastos tan diversos como: limosnas para frailes y monjas que rezaban por los españoles, cantidades ingentes de cirios y hachones para poner en las iglesias y atraerse el favor de los santos, palas y azadones para enterrar a los enemigos y para terminar, una elevadísima suma por su paciencia en atender a semejantes menudencias después de una hazaña como la suya.

• *Andar como por viña vendimiada*

Expresa hacer algo sin cuidado, sin reparo alguno, considerando que a nadie le importa. Esta expresión proviene de un término rural. Después de vendimiar, los viñedos quedaban a merced de los vecinos que podían entrar en ellos a buscar o a comerse los racimos que hubiesen quedado, así como los rebaños a comerse las hojas de las vides. Como la recolección ya se había efectuado, poco importaba que los demás se aprovechasen de los restos.

• *Darse pote*

Aparentar, darse tono, presumir, a veces sin una base real para ello. Sin duda, viene del plato tradicional llamado "pote". Tiene muchas variantes, y en algunas regiones españolas, además de los ingredientes propios, como alubias, verdura y tocino, se le añadían otros muchos según las posibilidades económicas de la familia.

• *Tener patente de corso*

Tener licencia para hacer algo que, normalmente, no está permitido. No tener que cumplir con los deberes y obligaciones que son comunes. Con esta frase se designaba, antiguamente, a la Campaña que hacían por mar los buques mercantes, con patente o permiso, de sus gobiernos para perseguir a los piratas o a las embarcaciones enemigas.

• *Echar pelillos a la mar*

Indica reconciliación con personas que se estuviera enemistado, dejando correr las causas que hubieran motivado el enfado. Esta expresión viene de una costumbre que tenían los muchachos que se obligaban a cumplir un trato, y que consistía en arrancarse, cada uno de los que participaban en dicho un trato, un cabello y soplándolo al aire, decían: "Pelillos a la mar".

- ### *Hacer un pan como unas hostias*

Malograrse un asunto, cometer un error que no puede ya enmendarse. La analogía es evidente : cuando se quiere hacer un pan y nos resulta algo tan endeble y sutil como una oblea.

- ### *Traer (llevar) a uno por la calle de la amargura*

Hacerle la vida imposible, atormentarle. También puede referirse a un asunto o un tema que complica la existencia en grado sumo. La calle de la amargura, es casi, con toda seguridad, la Vía Dolorosa, por donde Jesús marchó hacia el Calvario llevando la cruz a cuestas.

- ### *El más pintado*

El mejor, el más hábil, el más idóneo para la resolución de un asunto. El más pintado, podría hacer referencia al rey, o al gobernante, cuyo retrato o pintura, se encontraría en todas las dependencias oficiales.

- ### *Comer más que una lima*

Se utiliza para decir de alguien que come muchísimo, con rapidez y a veces, con voracidad. Hace clara referencia a la lima, que va desgastando la superficie sobre la que se aplica.

- ### *Colgarle a uno el sambenito*

Difamar, ocasionar el descrédito de alguien sin tener motivo para ello. El sambenito era un capotillo o escapulario de lana amarilla, con la cruz de San Andrés, que se ponía a los penitentes reconciliados por el tribunal de la Inquisición. Era una imitación del saco de penitencia que se ponían los primitivos cristianos. También se llamaba así a un cartel que se ponía en las iglesias con el nombre, hechos y castigos de los penitenciados.

• *Ser un mirlo blanco*

Tratarse de algo excepcional, extraordinario, muy especial y poco frecuente por su belleza, bondad o buenas cualidades. El mirlo es un pájaro, negro el macho y parda, casi negra, la hembra, por lo que se consideraba que era imposible encontrar uno blanco. En la actualidad, se sabe de la existencia de mirlos blancos, ¡pero no creemos que ésto cambie el sentido de esta frase tan conocida!

• *Lavarse las manos*

Generalmente esta frase se completa con "como Pilatos" y se utiliza para decir que uno de desentiende del tema, o que no quiere ninguna responsabilidad en el asunto de que se trate. Es claro su origen en el lavatorio de manos que Pilatos efectúo delante del pueblo judío, que pedía la crucifixión de Jesús, diciendo: "Soy inocente de esta sangre " y dando a entender que sus manos quedaban limpias del crimen que se iba a cometer.

• *Caballo grande ande o no ande*

Se utiliza para censurar a los que prefieren la cantidad a la calidad, aunque también se le da el sentido de querer aparentar con algo vistoso e importante. Cuando el canallo, además de ser el transporte o el vehículo de trabajo, tenerlo grande y hermoso, ponía de relieve el bienestar y la relevancia del que lo poseía.
¡Así, aun cuando luego no resultase, ni muy trotón ni muy ágil, con ser aparente ya cubría alguno de sus fines!

- ## *Dar coces contra el aguijón*

Es obstinarse en hacer frente a una fuerza superior, o intentar acabar con una situación que nos supera y ante la que nada podemos. Tiene el mismo significado de "Darse cabezazos contra la pared". No se consigue nada en ninguno de los dos casos. Es una frase muy antigua, que ya aparece en "Los hechos de los Apóstoles", recogida después por Correas con el sentido de: "porfiar contra mayor poder y razón". Samaniego, en su fábula "La serpiente y la lima, la colocaba en la moraleja: "Quien pretende sin razón/ al más fuerte derribar/ no consigue sino dar/ coces contra el aguijón".

- ## *Tener memoria de elefante*

Tener muy buena memoria, y también recordar con facilidad sucesos alejados en el tiempo. El elefante se le atribuye una gran capacidad para el recuerdo. Se dice que nunca olvida a quien le haya causado algún daño, y como su vida es larga, alrededor de unos sesenta años, ese recuerdo sería de larga duración.

- ## *Estar (o quedar) a los pies de los caballos*

Significa estar uno pobre, olvidado, miserable y en el último desprecio, arruinado o ser el último escalón de la sociedad. Es una metáfora de los que caían en guerra, y eran pisoteados por los caballos que, por milagro, escapaban con vida.

- ## *La ocasión la pintan calva*

Es un comentario que se hace ante las oportunidades que se nos presentan de forma inesperada o que son especialmente ventajosas. ¡ No se sabe bien a que se deberá la calvicie de la ocasión!, puesto que los romanos pintaban a esta figura alegórica, con una gran mata de pelo, echada hacia adelante para poder cogerla cuando pasase

• *Caerse del caballo*

Darse cuenta de algo, desengañarse. A veces se dice también "caerse del burro".

Su antecedente, es casi con toda seguridad, el relato de la conversión de San Pablo, cuando cayó del caballo, camino de Damasco, oyendo la voz de Dios que le preguntaba el por qué de su persecución.

• *Quien no te conozca que te compre*

Se emplea para poner de manifiesto o encarecer los defectos que tienen algunos. Quevedo usa esta expresión en "La visita de los chistes", aunque su popularidad se debe a un cuento de Fernán Caballero. Parece que unos estudiantes, deseos de diversiones, decidieron gastar una broma a un labriego, que tenía un caballejo atado a una noria. Lo sustituyeron por uno de los estudiantes que quedó uncido a la noria. El labriego, que trabajaba a cierta distancia, se extrañó de no oír la esquila, ni los pasos del caballejo a sus voces de "¡Arre!. Cuando decidió ir a ver lo que pasaba, su asombro fue mayúsculo cuando contempló al caballo convertido en hombre. El estudiante le dijo que había sido embrujado, y que ya había cumplido su tiempo de encantamiento, volviendo a su primitivo ser. El pobre labriego, desesperado, marchó al pueblo, en el que había feria, para tratar de comprar otro caballo. El primero que se le presentaron unos gitanos, fue su propio caballejo, que éstos, a su vez, habían comprado a los estudiantes. Cuando lo vió el labriego, echó a correr, exclamando: "Quien no te conozca que te compre".

• *Como un patriarca (Vivir, estar)*

Disfrutar de una vida cómoda, regalada. Estar placenteramente en algun lugar e incluso llevar una vida de lujo. Puede hacer referencia a los patriarcas como autoridades religiosas, por ejemplo, a los de la iglesia ortodoxa, y también a los patriarcas bíblicos, que gozaban del máximo respeto entre su pueblo.

- *Estar entre Pinto y Valdemoro*

Adoptar una postura ambigua, indefinida, a medio camino entre dos cosas, sin tener muy claro por cuál decidirse. Algunos autores cuentan que, entre estos dos pueblos madrileños, había un manicomio, y que esta locución significaría, en un principio estar loco. Otros dicen que había en Pinto un borrachín que se dedicaba, noche tras noche, a saltar un arroyuelo que separaba ambos términos municipales, diciendo sucesivamente: "Ahora estoy en Pinto. Ahora en Valdemoro" hasta que un día se cayó al agua y exclamó: "Ahora estoy entre Pinto y Valdemoro"

- *Llegar y besar el santo*

Llegar a un lugar o a un sitio en el momento más oportuno para conseguir lo que se buscaba. No tener que esperar o ser el tiempo de espera mucho más breve del que se suponía. En las festividades religiosas, en los pueblos, principalmente, la imagen del santo patrón se exponía para veneración de los fieles. Se le besaba el pie o la orla del manto, y había que hacer largas colas para poder acceder a este ritual. Y a esta espera alude esta frase tan popular.

- *Las vacas flacas* (*Estar o llegar*)

Período de escasez, de privación y penuria. Según el Génesis, el faraón de Egipto vio en sueños, siete vacas flacas . Preguntado José acerca del significado de este sueño, la interpretación fue la siguiente: "siete años de escasez , que harán que se olvide la abundancia de las tierras de Egipto y el hambre consumirá la tierra" . Este dicho se completa con :

- *Las vacas gordas*

Tiene idéntico origen que el anterior, un sueño del faraón, pero en esta ocasión, representaban un período de prosperidad y abundancia.

- *Poner una vela a Dios (o a San Miguel) y otra al diablo*

Querer contemporizar, intentando complacer a unos y otros aunque se trate de ideas o situaciones incompatibles. La idea es clara: nada hay tan opuesto como Dios y el Diablo, y la alusión a San Miguel es porque, en la iconografía cristiana, este santo es el vencedor del diablo.

- *Caérsele a uno la casa encima*

La acepción actual es la de sentirse aburrido o fastidiado por tenerse que quedar en casa, permanecer a disgusto en ella. Pero en el tiempo, ha tenido diversos sentidos. Uno de ellos, pasar una desgracia o vivir una grave contrariedad. En el siglo XVII, quería decir perder en un juego porque el contrincante había hecho trampas.

- *Estar (o tener) un pie en el estribo*

Estar a punto de salir y también estar al borde de la muerte. Otra frase de significado similar a su segundo significado ,es: "Tener un pie en el otro barrio". Evidentemente, proviene de cuando se usaban cabalgaduras.

- *Echar uno su cuarto a espadas*

Tomar parte en la conversación de otros de forma oficiosa. Cuando la espada era un arma de uso común, iban por los pueblos unos maestros de esgrima que daban lecciones improvisadas. Organizaban combates, a modo de aprendizaje, y el que quería participar en ellos, sólo tenía que echar unos cuartos (monedas) en un platillo que había para tal fin, aunque no conociera ni al maestro ni a los alumnos.

- *Confundir el culo con las témporas*

Tomar una cosa por otra sin tener nada que ver, sin guardar ninguna relación. Como tampoco la guarda esta parte del cuerpo con las cuatro témporas o períodos de ayuno establecidos por la iglesia.

- *Dejar a alguien en la estacada*

Abandonarlo a su suerte, desentenderse de él sin preocuparse de lo que pueda sucederle ante un peligro o en un negocio. Antiguamente se llamaba "estacada" al campo de batalla y los lugares señalados para los desafíos.

- *Meter en vereda (Entrar)*

Obligar a alguien a sujetarse a una disciplina, a cumplir órdenes o deberes, volverle al buen camino de forma un tanto severa. La vereda es un sendero estrecho, para ganado o transeuntes. Deriva de la palabra beréber "abred" , senda. La expresión hace referencia a las reses que se salían de este camino o senda, y que era preciso devolver a la vereda juno al resto del rebaño.

- *Rasgarse las vestiduras*

Indignarse, escandalizarse con exageración. Los judíos se rasgaban las vestiduras en señal de dolor, y también cuando algo les producía escandalo. En el Evangelio leemos: "El pontífice rasgó sus vestiduras al oir decir a Jesús que EL era el Mesías", considerando que ésto era una blasfemia.

- ## *Ser un viva la Virgen*

Ser despreocupado, irresponsable, vivir sin preocuparse de nada. Parece que esta expresión, muy conocida y utilizada, viene de la marina, cuando así se llamaba al marinero más torpe de la tripulación. Cuando en otro tiempo, para pasar lista se formaba a la marinería en la cubierta del buque, existía la costumbre que el último nombrado, diera un :"Viva la Virgen!" como invocando la protección de la Virgen del Carmen.

- ## *Ir de tiros largos*

Vestirse de gala, ir muy bien vestido, o engalanado para una ocasión especial. Contra lo que pueda parecer, la frase no hace alusión a la longitud de los trajes o atavíos, sino a los tiros de los caballos. Por lo visto, sólo los reyes y los grandes de España, podían llevar en sus carruajes el tiro delantero a cierta distancia del resto del enganche, por eso se llamaban tirantes largos. Así se distinguían de los demás, aunque éstos llevasen mayor número de caballos.

- ## *A la sopa boba* (Vivir o estar)

Vivir a expensas de otros, vivir sin trabajar, vivir de lo que caiga. Conseguir un empleo por recomendación o influencias del que se cobra aunque no se trabaje.
La sopa boba era la comida que, en los coventos, se daba de forma gratuíta a los pobres y mendigos.

- ## *Quitarse el sombrero*

Es muestra de respeto y cortesía, y por analogía, se aplica esta frase para manifestar admiración ante un hecho o una actuación admirables, brillantes o ejemplares. Hay quien emplea otras variantes como "quitarse la gorra", "quitarse la boina". Algunos utilizan la palabra francesa "chapeau" que es también muy popular.

• *Saltar o salir a la palestra*

Emprender una lucha o competición a la vista del público. También participar en un debate público , en un discusión, irrumpir en el campo de la política. En Grecia y Roma, se llamaba palestra al lugar donde se realizaban los ejercicios gimnásticos, se lidiaba o se luchaba.

• *De pacotilla*

De muy poca calidad, y de ínfimo valor. Hoy se aplica tanto a los objetos como a las personas: un médico de pacotilla, un jersey de pacotilla, para significar que no valen nada. La pacotilla era un conjunto de mercancías que los marineros podían traer, libres de impuesto, para su uso personal para su venta. También se daba este nombre a las baratijas con las que se pagaba a los indígenas de las colonias.

• *Haber moros en la costa*

Obrar con precaución, con cuidado porque hay alguien observando o vigilando. Esta expresión tiene su origen en la incursiones que, durante siglos, hicieron los piratas de Berbería sobre la costa mediterránea española. Todavía se conservan en algunas zonas de este litoral, torres de vigía, que lógicamente, servirían para dar el aviso de la llegada de tan incómodos y depredadores visitantes, anunciando "moros en la costa".

• *Quemar las naves*

Tomar una decisión extrema y radical que no permita la vuelta atrás. Se atribuye a Hernán Cortés la destrucción de sus naves antes de comenzar la conquista de Méjico, pero, parece que no fueron exactamente quemadas sino barrenadas y varadas en la playa. En 1519, después de varias campañas victoriosas en el reino azteca, una parte de la expedición, se mostró descontenta con las órdenes de Cortés. Tras doblegar a los descontentos, el conquistador inutilizó las naves para que nadie pudiera volverse atrás.

• *Tirar la toalla*

Desistir de algo, abandonar una idea, un trabajo o un negocio por sentirse incapaz de continuar con ellos. Es un símil que proviene del boxeo, y es señal de que uno de los contendientes, renuncia a seguir combatiendo.

Obras consultadas

Bibliografía

- *Breve Diccionario Etimológico de la Lengua Castellana*
  Joan Corominas. Editorial Gredos, 1987.

- *Los 200 refranes más famosos del idioma castellano*
  Susaeta Ediciones, S.A.1985.

- *Los mejores refranes de la Lengua Castellana*
  F. Caudet Yarza. Edimat Ediciones, S.A.

- *Refranero popular manchego. Y los refranes del Quijote*
  Jesús María Ruíz Villamor y Juan Manuel Sánchez Miguel.
  Biblioteca de autores manchegos. Diputación de Ciudad Real, 1998.

- *Diccionario de aforismos, proverbios y refranes*
  Editorial Sintes, S.A. 1982

- *Vocabulario de refranes y frases proverbiales*
  Gonzalo Correas. Visor Libros, 1992.

- *Diccionario de refranes*
  Juana G. Campos y Ana Barella. Editorial Espasa Calpe, S.A. 1998.

- *Diccionario de frases hechas de la lengua española*
  Larousse Editorial, S.A. 1998.

- *Tesoro de la lengua castellana o española*
  Sebastián de Covarrubias. Edición de Martín de Riquer.
  Editorial Alta Fulla. 1993.

- *El libro de buen amor*
  Arcipreste de Hita. Editorial Castalia "Odres Nuevos". 1968

BIBLIOGRAFIA

- *El ingenioso hidalgo Don Quijote de la Mancha*
  Miguel de Cervantes Saavedra. Sáenz de Jubera, Hermanos, Editores.

- *Diccionario del uso del español*
  María Moliner. Editorial Gredos, 1984.

- *Refranero Anticlerical*
  José Esteban. Ediciones Vosa, S.L. 1994.

- *Fuentes clásicas de la literatura Paremiológica del siglo XVI*
  Pilar Cuartero. 1981.